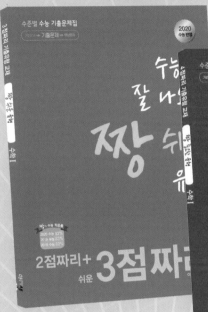
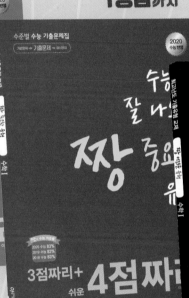

수학의 **기본기를 다지는** 문제기본서 (기본편)

Hi Math

[전 7권] 수학(상), 수학(하), 수학 Ⅰ, 수학 Ⅱ, 확률과 통계, 미적분, 기하

○ 기본문제, 유형문제로 구성

○ 개념기본서 「수학의 샘」과 연계된 문제기본서

○ 기본 문제 수가 많이 수록된 문제기본서

○ 내신 성적 2등급까지 책임지는 문제기본서

아름다운샘 A~ssam 내신 FINAL

고2 수학 II

출제범위

(기말고사 10회) 평균값 정리 - 정적분의 활용

(부록) 미분계수와 도함수, 여러 가지 미분법, 접선의 방정식

선생님! 제발 복사는~~T_T

교재의 문항에 대한 저작권을
지켜주시기를 간곡히 부탁드립니다.
바른 교육을 받고 성장한 학생들이
명예로운 사회를 만듭니다~ ♥

2학년 기말고사

부록

우리학교
진도는
좀 달라요

정답 및 해설

 동영상 강의는 아샘 협력학원 선생님들의 강의를
제공받아 유튜브(아샘 채널)에 업로드하였습니다.

이 책의 구성

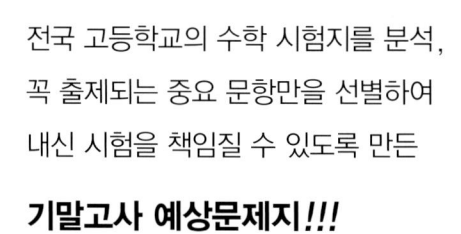

이것만 풀면 1등급~♫

전국 고등학교의 수학 시험지를 분석,
꼭 출제되는 중요 문항만을 선별하여
내신 시험을 책임질 수 있도록 만든

기말고사 예상문제지*!!!*

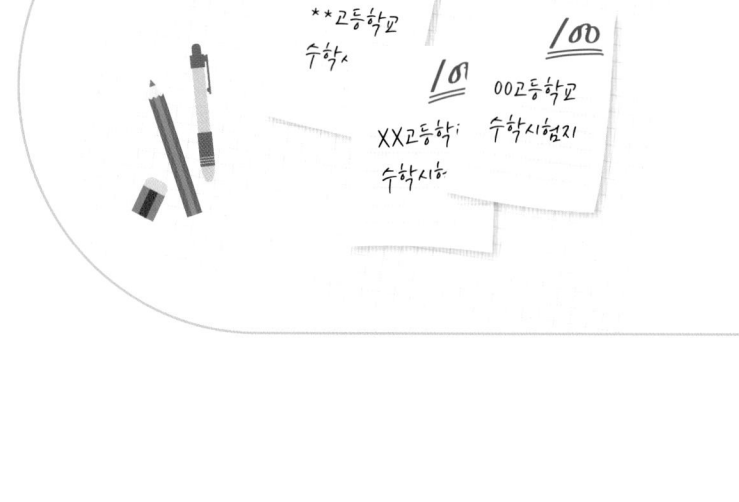

문항정보표 수록된 모든 문항에 대하여 내용영역, 난이도 등의 정보를 제공하였고, 어려운 문항에는 동영상 강의를 제공하여 이를 본문 또는 해설의 QR코드로 접속할 수 있게 하였습니다. 또한 OMR 카드를 제공하여 객관식 문항 표기를 연습할 수 있도록 하였습니다.

기말고사 1회~10회 1회당 23문항(객관식 18문항, 서술형 주관식 5문항)으로 구성하였습니다. 1회~8회의 문항은 학교 시험의 평균 난이도로 맞추었으며 9회~10회는 좀 더 난이도를 높여 구성하였습니다. 동영상 강의가 있는 문항에는 QR코드를 제공하여 유튜브-아름다운샘 채널에서 동영상 강의를 볼 수 있도록 하였습니다.

[부록] 미분계수와 도함수/여러 가지 미분법/접선의 방정식

기말고사 범위에 미분계수와 도함수/여러 가지 미분법/접선의 방정식이 포함된 학교 학생들을 위하여 미분계수와 도함수 1회, 여러 가지 미분법 1회, 접선의 방정식 2회를 추가로 구성하였으며 각 회별 8문항씩 수록하였습니다. 동영상 강의가 있는 문항에는 QR코드를 제공하였습니다.

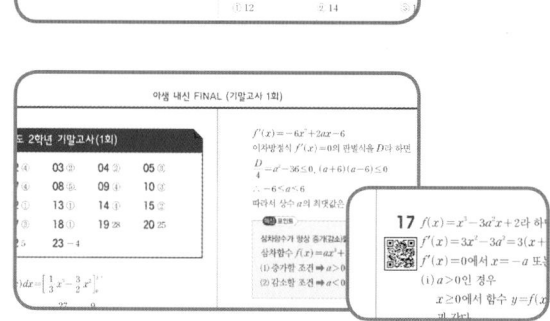

정답 및 해설 각 문항별 정답과 풀이를 제공하고 서술형 주관식 문제에는 채점기준표를 제공하였습니다. 또한 유용한 개념 또는 공식은 핵심포인트에 수록하였고 다른 풀이가 있는 문항에는 다른 풀이를 실었습니다. 본문과 마찬가지로 동영상 강의가 있는 문항에는 QR코드를 제공하였습니다.

학년	반	번호	과목코드	성명		과목			년	월	일	감독
								제 회	기말고사			정 정 확 인

문항	1 2 3 4 5	문항	1 2 3 4 5	문항	1 2 3 4 5	문항	1 2 3 4 5	문항	1 2 3 4 5	정정확인
1	① ② ③ ④ ⑤	11	① ② ③ ④ ⑤	21	① ② ③ ④ ⑤	31	① ② ③ ④ ⑤	41	① ② ③ ④ ⑤	문항번호 ( )
2	① ② ③ ④ ⑤	12	① ② ③ ④ ⑤	22	① ② ③ ④ ⑤	32	① ② ③ ④ ⑤	42	① ② ③ ④ ⑤	( )번을
3	① ② ③ ④ ⑤	13	① ② ③ ④ ⑤	23	① ② ③ ④ ⑤	33	① ② ③ ④ ⑤	43	① ② ③ ④ ⑤	( )번으로 정정 감독확인 (인)
4	① ② ③ ④ ⑤	14	① ② ③ ④ ⑤	24	① ② ③ ④ ⑤	34	① ② ③ ④ ⑤	44	① ② ③ ④ ⑤	
5	① ② ③ ④ ⑤	15	① ② ③ ④ ⑤	25	① ② ③ ④ ⑤	35	① ② ③ ④ ⑤	45	① ② ③ ④ ⑤	문항번호 ( ) ( )번을
6	① ② ③ ④ ⑤	16	① ② ③ ④ ⑤	26	① ② ③ ④ ⑤	36	① ② ③ ④ ⑤	46	① ② ③ ④ ⑤	( )번으로 정정
7	① ② ③ ④ ⑤	17	① ② ③ ④ ⑤	27	① ② ③ ④ ⑤	37	① ② ③ ④ ⑤	47	① ② ③ ④ ⑤	감독확인 (인)
8	① ② ③ ④ ⑤	18	① ② ③ ④ ⑤	28	① ② ③ ④ ⑤	38	① ② ③ ④ ⑤	48	① ② ③ ④ ⑤	문항번호 ( )
9	① ② ③ ④ ⑤	19	① ② ③ ④ ⑤	29	① ② ③ ④ ⑤	39	① ② ③ ④ ⑤	49	① ② ③ ④ ⑤	( )번을 ( )번으로 정정
10	① ② ③ ④ ⑤	20	① ② ③ ④ ⑤	30	① ② ③ ④ ⑤	40	① ② ③ ④ ⑤	50	① ② ③ ④ ⑤	감독확인 (인)

학년: 1 2 3
공결 병결 상고 무단 부정 기타

반/번호/과목코드: 0 1 2 3 4 5 6 7 8 9

학년	반	번호	과목코드	아~샘 A-ssom	성명		과목		년 월 일 제 회 기말고사	감독	

학년	반		번호		과목코드		문항	1	2	3	4	5	문항	1	2	3	4	5	문항	1	2	3	4	5	문항	1	2	3	4	5	문항	1	2	3	4	5	정정 확인
	0	0	0	0	0	0	1	1	2	3	4	5	11	1	2	3	4	5	21	1	2	3	4	5	31	1	2	3	4	5	41	1	2	3	4	5	문항번호 ( )
1	1	1	1	1	1	1	2	1	2	3	4	5	12	1	2	3	4	5	22	1	2	3	4	5	32	1	2	3	4	5	42	1	2	3	4	5	( )번을
2	2	2	2	2	2	2	3	1	2	3	4	5	13	1	2	3	4	5	23	1	2	3	4	5	33	1	2	3	4	5	43	1	2	3	4	5	( )번으로 정정
3		3	3	3	3	3	4	1	2	3	4	5	14	1	2	3	4	5	24	1	2	3	4	5	34	1	2	3	4	5	44	1	2	3	4	5	감독확인 (인)
공결		4	4	4	4	4	5	1	2	3	4	5	15	1	2	3	4	5	25	1	2	3	4	5	35	1	2	3	4	5	45	1	2	3	4	5	문항번호 ( )
병결		5	5	5	5	5	6	1	2	3	4	5	16	1	2	3	4	5	26	1	2	3	4	5	36	1	2	3	4	5	46	1	2	3	4	5	( )번을 ( )번으로 정정
상고		6	6	6	6	6	7	1	2	3	4	5	17	1	2	3	4	5	27	1	2	3	4	5	37	1	2	3	4	5	47	1	2	3	4	5	감독확인 (인)
무단		7	7	7	7	7	8	1	2	3	4	5	18	1	2	3	4	5	28	1	2	3	4	5	38	1	2	3	4	5	48	1	2	3	4	5	문항번호 ( )
부정		8		8	8	8	9	1	2	3	4	5	19	1	2	3	4	5	29	1	2	3	4	5	39	1	2	3	4	5	49	1	2	3	4	5	( )번을 ( )번으로 정정
기타		9		9	9	9	10	1	2	3	4	5	20	1	2	3	4	5	30	1	2	3	4	5	40	1	2	3	4	5	50	1	2	3	4	5	감독확인 (인)

학년	반	번호	과목코드	아~샘 A-ssom	성명		과목		년 월 일 제 회 기말고사	감독	

학년	반		번호		과목코드		문항	1	2	3	4	5	문항	1	2	3	4	5	문항	1	2	3	4	5	문항	1	2	3	4	5	문항	1	2	3	4	5	정정 확인
	0	0	0	0	0	0	1	1	2	3	4	5	11	1	2	3	4	5	21	1	2	3	4	5	31	1	2	3	4	5	41	1	2	3	4	5	문항번호 ( )
1	1	1	1	1	1	1	2	1	2	3	4	5	12	1	2	3	4	5	22	1	2	3	4	5	32	1	2	3	4	5	42	1	2	3	4	5	( )번을
2	2	2	2	2	2	2	3	1	2	3	4	5	13	1	2	3	4	5	23	1	2	3	4	5	33	1	2	3	4	5	43	1	2	3	4	5	( )번으로 정정
3		3	3	3	3	3	4	1	2	3	4	5	14	1	2	3	4	5	24	1	2	3	4	5	34	1	2	3	4	5	44	1	2	3	4	5	감독확인 (인)
공결		4	4	4	4	4	5	1	2	3	4	5	15	1	2	3	4	5	25	1	2	3	4	5	35	1	2	3	4	5	45	1	2	3	4	5	문항번호 ( )
병결		5	5	5	5	5	6	1	2	3	4	5	16	1	2	3	4	5	26	1	2	3	4	5	36	1	2	3	4	5	46	1	2	3	4	5	( )번을 ( )번으로 정정
상고		6	6	6	6	6	7	1	2	3	4	5	17	1	2	3	4	5	27	1	2	3	4	5	37	1	2	3	4	5	47	1	2	3	4	5	감독확인 (인)
무단		7	7	7	7	7	8	1	2	3	4	5	18	1	2	3	4	5	28	1	2	3	4	5	38	1	2	3	4	5	48	1	2	3	4	5	문항번호 ( )
부정		8		8	8	8	9	1	2	3	4	5	19	1	2	3	4	5	29	1	2	3	4	5	39	1	2	3	4	5	49	1	2	3	4	5	( )번을 ( )번으로 정정
기타		9		9	9	9	10	1	2	3	4	5	20	1	2	3	4	5	30	1	2	3	4	5	40	1	2	3	4	5	50	1	2	3	4	5	감독확인 (인)

학년	반	번호	과목코드	아~샘 A-ssom	성명		과목		년 월 일 제 회 기말고사	감독	

학년	반		번호		과목코드		문항	1	2	3	4	5	문항	1	2	3	4	5	문항	1	2	3	4	5	문항	1	2	3	4	5	문항	1	2	3	4	5	정정 확인
	0	0	0	0	0	0	1	1	2	3	4	5	11	1	2	3	4	5	21	1	2	3	4	5	31	1	2	3	4	5	41	1	2	3	4	5	문항번호 ( )
1	1	1	1	1	1	1	2	1	2	3	4	5	12	1	2	3	4	5	22	1	2	3	4	5	32	1	2	3	4	5	42	1	2	3	4	5	( )번을
2	2	2	2	2	2	2	3	1	2	3	4	5	13	1	2	3	4	5	23	1	2	3	4	5	33	1	2	3	4	5	43	1	2	3	4	5	( )번으로 정정
3		3	3	3	3	3	4	1	2	3	4	5	14	1	2	3	4	5	24	1	2	3	4	5	34	1	2	3	4	5	44	1	2	3	4	5	감독확인 (인)
공결		4	4	4	4	4	5	1	2	3	4	5	15	1	2	3	4	5	25	1	2	3	4	5	35	1	2	3	4	5	45	1	2	3	4	5	문항번호 ( )
병결		5	5	5	5	5	6	1	2	3	4	5	16	1	2	3	4	5	26	1	2	3	4	5	36	1	2	3	4	5	46	1	2	3	4	5	( )번을 ( )번으로 정정
상고		6	6	6	6	6	7	1	2	3	4	5	17	1	2	3	4	5	27	1	2	3	4	5	37	1	2	3	4	5	47	1	2	3	4	5	감독확인 (인)
무단		7	7	7	7	7	8	1	2	3	4	5	18	1	2	3	4	5	28	1	2	3	4	5	38	1	2	3	4	5	48	1	2	3	4	5	문항번호 ( )
부정		8		8	8	8	9	1	2	3	4	5	19	1	2	3	4	5	29	1	2	3	4	5	39	1	2	3	4	5	49	1	2	3	4	5	( )번을 ( )번으로 정정
기타		9		9	9	9	10	1	2	3	4	5	20	1	2	3	4	5	30	1	2	3	4	5	40	1	2	3	4	5	50	1	2	3	4	5	감독확인 (인)

문항 정보표

■ 2학년 기말고사(1회)

번호	소단원명	난이도	배점	○/×	번호	소단원명	난이도	배점	○/×
1	정적분	하	3.3점		13	속도와 가속도	중상	4점	
2	함수의 극대와 극소	하	3.3점		14	정적분으로 정의된 함수	중상	4점	
3	평균값 정리	하	3.3점		15	정적분의 성질	중상	4점	
4	속도와 거리	하	3.3점		16	넓이	상	4점	
5	함수의 증가와 감소	중하	3.3점		17	방정식과 부등식에의 활용 📹	상	4점	
6	정적분의 성질	중하	3.3점		18	정적분으로 정의된 함수 📹	최상	4점	
7	방정식과 부등식에의 활용	중하	3.7점		19	다항함수의 부정적분	중하	6점	
8	방정식과 부등식에의 활용	중하	3.7점		20	속도와 가속도	중하	6점	
9	넓이	중하	3.7점		21	여러 가지 함수의 정적분 📹	중상	6점	
10	다항함수의 부정적분	중상	3.7점		22	넓이 📹	상	8점	
11	함수의 그래프와 최대·최소	중상	3.7점		23	함수의 극대와 극소 📹	최상	8점	
12	함수의 극대와 극소	중상	3.7점						

■ 2학년 기말고사(2회)

번호	소단원명	난이도	배점	○/×	번호	소단원명	난이도	배점	○/×
1	평균값 정리	하	3.3점		13	여러 가지 함수의 정적분	중상	4점	
2	함수의 증가와 감소	중하	3.3점		14	정적분으로 정의된 함수	중상	4점	
3	함수의 그래프와 최대·최소	중하	3.3점		15	정적분으로 정의된 함수	중상	4점	
4	함수의 극대와 극소	중상	3.3점		16	정적분으로 정의된 함수	중상	4점	
5	함수의 극대와 극소	중하	3.3점		17	함수의 극대와 극소 📹	상	4점	
6	정적분의 성질	중하	3.3점		18	정적분으로 정의된 함수 📹	상	4점	
7	넓이	중하	3.7점		19	속도와 거리	중하	6점	
8	넓이	중하	3.7점		20	다항함수의 부정적분	중하	6점	
9	속도와 가속도	중하	3.7점		21	방정식과 부등식에의 활용 📹	중상	6점	
10	속도와 거리	중상	3.7점		22	함수의 극대와 극소 📹	상	8점	
11	다항함수의 부정적분	중상	3.7점		23	넓이 📹	최상	8점	
12	정적분	중상	3.7점						

■ 2학년 기말고사(3회)

번호	소단원명	난이도	배점	○/×	번호	소단원명	난이도	배점	○/×
1	평균값 정리	하	3.3점		13	함수의 그래프와 최대·최소	중상	4점	
2	정적분	하	3.3점		14	넓이	중상	4점	
3	정적분	하	3.3점		15	속도와 가속도	중상	4점	
4	함수의 극대와 극소	하	3.3점		16	정적분	중상	4점	
5	함수의 그래프와 최대·최소	하	3.3점		17	함수의 그래프와 최대·최소 📹	상	4점	
6	다항함수의 부정적분	중하	3.3점		18	여러 가지 함수의 정적분 📹	상	4점	
7	속도와 가속도	중하	3.7점		19	정적분의 성질	중하	6점	
8	속도와 거리	중하	3.7점		20	함수의 증가와 감소	중상	6점	
9	속도와 가속도	중상	3.7점		21	정적분으로 정의된 함수 📹	상	6점	
10	함수의 극대와 극소	중상	3.7점		22	넓이 📹	상	8점	
11	다항함수의 부정적분	중상	3.7점		23	함수의 극대와 극소 📹	최상	8점	
12	정적분으로 정의된 함수	중상	3.7점						

■ 2학년 기말고사(4회)

번호	소단원명	난이도	배점	○ / ×	번호	소단원명	난이도	배점	○ / ×
1	다항함수의 부정적분	하	3.3점		13	정적분으로 정의된 함수	중상	4점	
2	정적분의 성질	하	3.3점		14	정적분으로 정의된 함수	중상	4점	
3	함수의 증가와 감소	하	3.3점		15	넓이	중상	4점	
4	함수의 증가와 감소	하	3.3점		16	속도와 거리 🎥	상	4점	
5	속도와 가속도	하	3.3점		17	함수의 극대와 극소 🎥	상	4점	
6	다항함수의 부정적분	하	3.3점		18	정적분의 성질 🎥	최상	4점	
7	여러 가지 함수의 정적분	중하	3.7점		19	함수의 극대와 극소	중하	6점	
8	함수의 극대와 극소	중하	3.7점		20	방정식과 부등식에의 활용	중상	6점	
9	함수의 그래프와 최대·최소	중하	3.7점		21	다항함수의 부정적분	중상	6점	
10	방정식과 부등식에의 활용	중상	3.7점		22	속도와 가속도 🎥	상	8점	
11	다항함수의 부정적분	중상	3.7점		23	넓이 🎥	최상	8점	
12	정적분	중상	3.7점						

■ 2학년 기말고사(5회)

번호	소단원명	난이도	배점	○ / ×	번호	소단원명	난이도	배점	○ / ×
1	부정적분	하	3.3점		13	정적분	중상	4점	
2	정적분	하	3.3점		14	정적분의 성질	중상	4점	
3	함수의 증가와 감소	중하	3.3점		15	여러 가지 함수의 정적분	중상	4점	
4	함수의 극대와 극소	중하	3.3점		16	정적분으로 정의된 함수	중상	4점	
5	속도와 가속도	중하	3.3점		17	다항함수의 부정적분 🎥	상	4점	
6	속도와 거리	중하	3.3점		18	방정식과 부등식에의 활용 🎥	최상	4점	
7	방정식과 부등식에의 활용	중상	3.7점		19	평균값 정리	중하	6점	
8	방정식과 부등식에의 활용	중상	3.7점		20	함수의 극대와 극소	중하	6점	
9	방정식과 부등식에의 활용	중상	3.7점		21	정적분으로 정의된 함수	중상	6점	
10	다항함수의 부정적분	중상	3.7점		22	넓이 🎥	상	8점	
11	넓이	중상	3.7점		23	함수의 극대와 극소 🎥	최상	8점	
12	함수의 그래프와 최대·최소 🎥	중상	3.7점						

■ 2학년 기말고사(6회)

번호	소단원명	난이도	배점	○ / ×	번호	소단원명	난이도	배점	○ / ×
1	정적분	하	3.3점		13	넓이	중상	4점	
2	함수의 극대와 극소	하	3.3점		14	정적분	중상	4점	
3	다항함수의 부정적분	하	3.3점		15	정적분의 성질	중상	4점	
4	함수의 그래프와 최대·최소	하	3.3점		16	여러 가지 함수의 정적분 🎥	상	4점	
5	방정식과 부등식에의 활용	하	3.3점		17	넓이	상	4점	
6	방정식과 부등식에의 활용	중하	3.3점		18	함수의 극대와 극소 🎥	상	4점	
7	방정식과 부등식에의 활용	중하	3.7점		19	평균값 정리	중하	6점	
8	속도와 가속도	중하	3.7점		20	함수의 극대와 극소	중상	6점	
9	속도와 가속도	중상	3.7점		21	속도와 가속도 🎥	상	6점	
10	다항함수의 부정적분	중상	3.7점		22	정적분의 성질 🎥	상	8점	
11	정적분	중상	3.7점		23	넓이 🎥	최상	8점	
12	정적분으로 정의된 함수	중상	3.7점						

■ 2학년 기말고사(7회)

번호	소단원명	난이도	배점	○/×	번호	소단원명	난이도	배점	○/×
1	다항함수의 부정적분	하	3.3점		13	정적분으로 정의된 함수	중상	4점	
2	함수의 극대와 극소	중하	3.3점		14	넓이	중상	4점	
3	함수의 증가와 감소	중하	3.3점		15	정적분	중상	4점	
4	넓이	중하	3.3점		16	여러 가지 함수의 정적분 📹	중상	4점	
5	정적분	중하	3.3점		17	넓이 📹	상	4점	
6	방정식과 부등식에의 활용	중하	3.3점		18	함수의 극대와 극소 📹	최상	4점	
7	속도와 가속도	중하	3.7점		19	평균값 정리	중하	6점	
8	속도와 거리	중하	3.7점		20	정적분의 성질	중상	6점	
9	함수의 극대와 극소	중하	3.7점		21	도함수의 활용 📹	상	6점	
10	함수의 그래프와 최대·최소	중상	3.7점		22	정적분으로 정의된 함수	상	8점	
11	방정식과 부등식에의 활용	중상	3.7점		23	함수의 극대와 극소 📹	최상	8점	
12	정적분의 성질	중상	3.7점						

■ 2학년 기말고사(8회)

번호	소단원명	난이도	배점	○/×	번호	소단원명	난이도	배점	○/×
1	정적분	하	3.3점		13	정적분으로 정의된 함수	중상	4점	
2	평균값 정리	하	3.3점		14	넓이	중상	4점	
3	함수의 증가와 감소	하	3.3점		15	넓이	중상	4점	
4	속도와 거리	하	3.3점		16	속도와 거리	중상	4점	
5	방정식과 부등식에의 활용	하	3.3점		17	정적분의 성질 📹	상	4점	
6	부정적분	하	3.3점		18	다항함수의 부정적분 📹	최상	4점	
7	속도와 가속도	중하	3.7점		19	정적분의 성질	중하	6점	
8	함수의 극대와 극소	중하	3.7점		20	함수의 극대와 극소	중하	6점	
9	다항함수의 부정적분	중하	3.7점		21	방정식과 부등식에의 활용 📹	중상	6점	
10	함수의 그래프와 최대·최소	중상	3.7점		22	정적분으로 정의된 함수 📹	상	8점	
11	속도와 가속도	중상	3.7점		23	함수의 극대와 극소 📹	최상	8점	
12	여러 가지 함수의 정적분	중상	3.7점						

■ 2학년 기말고사(9회)

번호	소단원명	난이도	배점	○/×	번호	소단원명	난이도	배점	○/×
1	함수의 증가와 감소	하	3.3점		13	함수의 그래프와 최대·최소	중상	4점	
2	다항함수의 부정적분	하	3.3섬		14	넓이	중상	4점	
3	여러 가지 함수의 정적분	하	3.3점		15	다항함수의 부정적분	중상	4점	
4	함수의 극대와 극소	하	3.3점		16	넓이 📹	중상	4점	
5	평균값 정리	하	3.3점		17	함수의 극대와 극소 📹	상	4점	
6	속도와 가속도	중하	3.3점		18	넓이 📹	상	4점	
7	속도와 거리	중하	3.7점		19	다항함수의 부정적분	중하	6점	
8	함수의 극대와 극소	중하	3.7점		20	다항함수의 부정적분	중상	6점	
9	방정식과 부등식에의 활용	중상	3.7점		21	함수의 극대와 극소 📹	상	6점	
10	함수의 그래프와 최대·최소	중상	3.7점		22	정적분으로 정의된 함수	상	8점	
11	부정적분	중상	3.7점		23	정적분의 성질 📹	상	8점	
12	정적분의 성질	중상	3.7점						

■ 2학년 기말고사(10회)

번호	소단원명	난이도	배점	○/×	번호	소단원명	난이도	배점	○/×
1	정적분의 성질	하	3.3점		13	정적분으로 정의된 함수	중상	4점	
2	다항함수의 부정적분	하	3.3점		14	넓이	중상	4점	
3	정적분	하	3.3점		15	넓이	중상	4점	
4	방정식과 부등식에의 활용	하	3.3점		16	넓이 📹	상	4점	
5	방정식과 부등식에의 활용	중하	3.3점		17	방정식과 부등식에의 활용 📹	상	4점	
6	다항함수의 부정적분	중하	3.3점		18	정적분의 성질 📹	최상	4점	
7	속도와 거리	중하	3.7점		19	다항함수의 부정적분	중하	6점	
8	속도와 가속도	중하	3.7점		20	함수의 증가와 감소	중상	6점	
9	평균값 정리	중상	3.7점		21	함수의 극대와 극소	중상	6점	
10	함수의 극대와 극소	중상	3.7점		22	함수의 그래프와 최대·최소 📹	상	8점	
11	다항함수의 부정적분	중상	3.7점		23	정적분으로 정의된 함수 📹	최상	8점	
12	여러 가지 함수의 정적분	중상	3.7점						

■ [부록 1회] 미분계수와 도함수

번호	소단원명	난이도	배점	○/×	번호	소단원명	난이도	배점	○/×
1	미분계수와 도함수	중하	4점		5	미분계수와 도함수	중상	5점	
2	미분계수와 도함수	중하	4점		6	미분계수와 도함수 📹	상	5점	
3	미분계수와 도함수	중하	4점		7	미분계수와 도함수	상	6점	
4	미분계수와 도함수	중상	4점		8	미분계수와 도함수 📹	상	8점	

■ [부록 2회] 여러 가지 미분법

번호	소단원명	난이도	배점	○/×	번호	소단원명	난이도	배점	○/×
1	여러 가지 미분법	중하	4점		5	여러 가지 미분법	중상	5점	
2	여러 가지 미분법	중하	4점		6	여러 가지 미분법 📹	상	5점	
3	여러 가지 미분법	중상	4점		7	여러 가지 미분법	중상	6점	
4	여러 가지 미분법	중상	4점		8	여러 가지 미분법 📹	상	8점	

■ [부록 3회] 접선의 방정식

번호	소단원명	난이도	배점	○/×	번호	소단원명	난이도	배점	○/×
1	접선의 방정식	중하	4점		5	접선의 방정식 📹	중상	5점	
2	접선의 방정식	중하	4점		6	접선의 방정식	중상	5점	
3	접선의 방정식	중하	4점		7	접선의 방정식	중상	6점	
4	접선의 방정식	중하	4점		8	접선의 방정식 📹	상	8점	

■ [부록 4회] 접선의 방정식

번호	소단원명	난이도	배점	○/×	번호	소단원명	난이도	배점	○/×
1	접선의 방정식	중하	4점		5	접선의 방정식	중상	5점	
2	접선의 방정식	중하	4점		6	접선의 방정식	중상	5점	
3	접선의 방정식	중상	4점		7	접선의 방정식 📹	상	6점	
4	접선의 방정식	중상	4점		8	접선의 방정식 📹	상	8점	

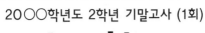

수 학 II

범위 : 평균값 정리 ~ 정적분의 활용

| 대상 | 2학년 | 고사일시 | 20   년   월   일 | 과목코드 | 01 | 시간 | 50분 | 점수 | /100점 |

• 답안지에 필요한 인적 사항을 정확히 기입할 것.
• 객관식 문제의 답안 표기는 OMR카드에 반드시 컴퓨터용 사인펜을 사용하여 기입할 것.
• 주관식 문제의 답안 표기는 반드시 검은색 펜을 사용할 것.

객관식

01

정적분 $\int_0^3 (x^2-3x)\,dx$의 값은? [3.3점]

① $-\dfrac{11}{2}$ ② -5 ③ $-\dfrac{9}{2}$

④ -4 ⑤ $-\dfrac{7}{2}$

02

삼차함수 $f(x)=x^3-3x+2$의 극댓값을 M, 극솟값을 m이라 할 때, $M+m$의 값은? [3.3점]

① 1   ② 2   ③ 3

④ 4   ⑤ 5

03

함수 $f(x)=x^2-3x-1$에 대하여 닫힌구간 $[1, k]$에서 평균값 정리를 만족시키는 실수 c의 값이 3일 때, k의 값은? (단, $k>3$)
[3.3점]

① 4   ② 5   ③ 6

④ 7   ⑤ 8

04

원점을 출발하여 수직선 위를 움직이는 점 P의 t초 후의 속도가 $v(t)=3t-3t^2$일 때, 출발 후 4초 동안 점 P가 움직인 거리는?
[3.3점]

① 40   ② 41   ③ 42

④ 43   ⑤ 44

05

삼차함수 $f(x)=-2x^3+ax^2-6x-1$이 임의의 두 실수 x_1, x_2 에 대하여 $x_1<x_2$이면 $f(x_1)>f(x_2)$를 만족시킨다. 상수 a의 최댓값은? [3.3점]

① 4   ② 5   ③ 6
④ 7   ⑤ 8

07

x에 대한 삼차방정식 $2x^3-3x^2-12x+a=0$의 서로 다른 세 실근 α, β, γ가 $\alpha<0$, $\beta>0$, $\gamma>0$이 되도록 하는 정수 a의 최댓값은? [3.7점]

① 16   ② 17   ③ 18
④ 19   ⑤ 20

06

등식 $\displaystyle\int_0^1 (x+k)^2 dx - \int_0^1 (x-k)^2 dx = 20$을 만족시키는 상수 k의 값은? [3.3점]

① 2   ② 4   ③ 6
④ 8   ⑤ 10

08

x에 대한 방정식 $4x^3-6x^2-24x-k=0$이 서로 다른 두 실근 을 갖도록 하는 모든 실수 k의 값의 차는? [3.7점]

① 50   ② 51   ③ 52
④ 53   ⑤ 54

09

곡선 $y=x^3-3$ 위의 점 $(-1, -4)$에서의 접선과 이 곡선으로 둘러싸인 부분의 넓이는? [3.7점]

① $\dfrac{21}{4}$ ② $\dfrac{23}{4}$ ③ $\dfrac{25}{4}$

④ $\dfrac{27}{4}$ ⑤ $\dfrac{29}{4}$

10

다항함수 $y=f(x)$와 그 부정적분 $y=F(x)$에 대하여
$$(x-1)f(x)-F(x)=x^3-x^2-x$$
인 관계가 성립한다. $f(1)=3$일 때, $f(5)$의 값은? [3.7점]

① 41   ② 42   ③ 43

④ 44   ⑤ 45

11

삼차함수 $f(x)=x^3+ax^2+bx-2$의 도함수 $y=f'(x)$의 그래프가 그림과 같을 때, 구간 $[1, 4]$에서 함수 $f(x)$의 최댓값과 최솟값의 합은?

(단, a, b는 상수이다.) [3.7점]

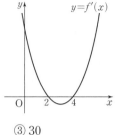

① 26   ② 28   ③ 30

④ 32   ⑤ 34

12

도함수가 $f'(x)=a(x^2-4)$ $(a>0)$인 함수 $f(x)$의 극댓값이 42이고 극솟값이 -22일 때, $f(3)$의 값은? [3.7점]

① -8 ② -4 ③ 0

④ 4   ⑤ 8

아름다운샘

13

수직선 위를 움직이는 점 P의 t초 후의 좌표가
$x=2t^3-15t^2+36t$일 때, 옳은 것만을 〈보기〉에서 있는 대로
고른 것은? [4점]

┤보기├

ㄱ. 5초 후의 속도는 36이다.

ㄴ. 처음 출발 후 운동 방향을 한 번 바꾼다.

ㄷ. 처음 출발 후 원점을 다시 지난다.

① ㄱ　　　　　② ㄴ　　　　　③ ㄱ, ㄷ

④ ㄴ, ㄷ　　　　⑤ ㄱ, ㄴ, ㄷ

14

함수 $f(x)=\int_0^x (t^2+at+b)dt$가 $x=3$에서 극솟값 -9를 가
질 때, $f(x)$의 극댓값은? (단, a, b는 상수이다.) [4점]

① $\dfrac{2}{3}$　　　② 1　　　③ $\dfrac{4}{3}$

④ $\dfrac{5}{3}$　　　⑤ 2

15

함수 $y=f(x)$의 그래프가 그림과 같을
때, 정적분 $\displaystyle\int_0^3 f(x-1)\,dx$의 값은?

[4점]

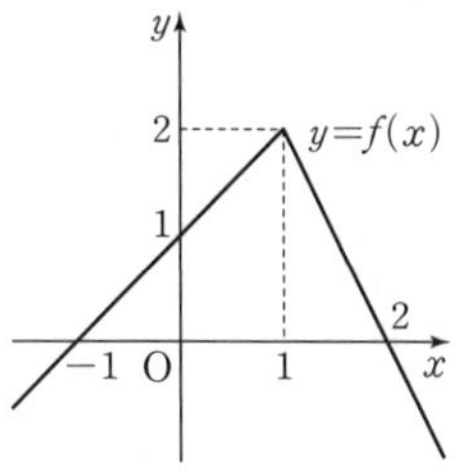

① 1　　　　② 3

③ 5　　　　④ 7

⑤ 9

16

함수 $y=-x^3+x-k$의 그래프가 그림과 같고, 두 도형 A, B의 넓이가 서로 같을 때, $81k^2$의 값은?

(단, k는 상수이다.) [4점]

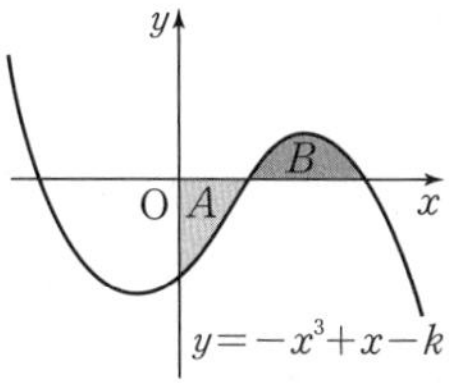

① 2　　　　② 3　　　　③ 4

④ 5　　　　⑤ 6

17

▶유튜브 강의

$x \geq 0$일 때, 부등식 $x^3 - 3a^2x + 2 \geq 0$이 성립하도록 하는 실수 a의 값의 범위가 $\alpha < a < \beta$이다. $\alpha + \beta$의 값은? [4점]

① -2 ② -1 ③ 0

④ 1 ⑤ 2

18

▶유튜브 강의

모든 실수 x에 대하여 등식

$$f(f(x)) = \int_0^x f(t)dt - x^2 + 3x + 3$$

을 만족시키는 다항식 $f(x)$의 계수의 합은? [4점]

① 3 ② 2 ③ 1

④ 0 ⑤ -1

※ 다음은 서술형 문제입니다. 서술형 답안지에 풀이 과정과 답을 정확하게 서술하시오.

서술형 주관식

19

함수 $f(x) = \int (x^3 + 2x^2 + 4)\,dx$일 때,

$\displaystyle\lim_{h \to 0} \dfrac{f(1+2h) - f(1-2h)}{h}$의 값을 구하시오. [6점]

20

지면으로부터 $25\,\mathrm{m}$ 높이의 지점에서 처음 속도 $a\,\mathrm{m/s}$로 똑바로 위로 던진 물체의 t초 후의 높이를 $x\,\mathrm{m}$라 하면 $x = 25 + at + bt^2$인 관계가 성립한다. 이 물체가 최고 높이에 도달할 때까지 걸린 시간이 3초이고, 그때의 높이는 $70\,\mathrm{m}$라고 한다. 두 상수 a, b에 대하여 $a + b$의 값을 구하시오. [6점]

● 선생님! 저작권을 지켜주셔서 감사합니다~

아름다운샘

21

▶유튜브 강의

다항함수 $y=f(x)$가 모든 실수 x에 대하여

$$f(-x)=-f(x), \quad \int_0^2 xf(x)\,dx=\frac{3}{2}$$

을 만족시킬 때, 정적분 $\int_{-2}^2 (x^2+2x-6)f(x)\,dx$의 값을 구하시오. [6점]

22

▶유튜브 강의

2 이상의 자연수 n에 대하여 함수 $f(x)=x^n$ $(x \geq 0)$의 역함수를 $g(x)$라 할 때, 두 곡선 $y=f(x)$, $y=g(x)$로 둘러싸인 부분의 넓이를 S_n이라 하자. $S_n=\dfrac{2}{3}$를 만족시키는 n의 값을 구하시오. [8점]

23

▶유튜브 강의

실수 전체의 집합에서 정의된 다항함수 $f(x)$가 다음 두 조건을 만족시킨다.

> (가) 임의의 두 실수 x, y에 대하여
> $$f(x-y)=f(x)-f(y)+xy(x-y)$$
> (나) $f'(0)=4$

함수 $f(x)$가 $x=\alpha$에서 극대, $x=\beta$에서 극소일 때, $\alpha\beta$의 값을 구하시오. [8점]

수 학 II

범위: 평균값 정리 ~ 정적분의 활용

| 대상 | 2학년 | 고사일시 | 20   년   월   일 | 과목코드 | 02 | 시간 | 50분 | 점수 | /100점 |

객관식

01

함수 $f(x)=x^2-6x$에 대하여 닫힌구간 [2, 4]에서 롤의 정리를 만족시키는 실수 c의 값은? [3.3점]

① $\dfrac{3}{2}$　　　　② 2　　　　③ $\dfrac{5}{2}$

④ 3　　　　⑤ $\dfrac{7}{2}$

02

실수 전체의 집합 R에서 R로의 함수

$$f(x)=2x^3-3ax^2+6ax$$

가 일대일대응이 되도록 하는 실수 a의 최댓값은? [3.3점]

① 1　　　　② 2　　　　③ 3

④ 4　　　　⑤ 5

03

$0 \leq x \leq 2$에서 함수 $f(x)=2x^3-6x-3$의 최댓값을 M, 최솟값을 m이라 할 때, $M-m$의 값은? [3.3점]

① 4　　　　② 8　　　　③ $8\sqrt{2}$

④ 12　　　　⑤ 18

04

함수 $f(x)=x^3-3kx^2-9k^2x+2$의 극댓값과 극솟값의 차가 32일 때, 양수 k의 값은? [3.3점]

① 1　　　　② 3　　　　③ 5

④ 7　　　　⑤ 9

05

함수 $y=f(x)$의 도함수 $y=f'(x)$의 그래프가 그림과 같을 때, 〈보기〉에서 옳은 것만을 있는 대로 고른 것은? [3.3점]

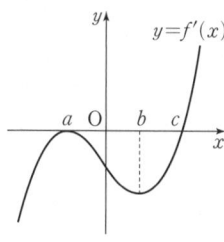

┤ 보기 ├

ㄱ. $x=a$에서 함수 $y=f(x)$는 극대이다.

ㄴ. $x=b$에서 함수 $y=f(x)$는 극대이다.

ㄷ. $x=c$에서 함수 $y=f(x)$는 극소이다.

① ㄱ   ② ㄷ   ③ ㄱ, ㄴ

④ ㄱ, ㄷ   ⑤ ㄴ, ㄷ

06

함수 $f(x)=\begin{cases} x^2+3 & (x\leq 0) \\ 3-x & (x>0) \end{cases}$ 일 때, 정적분 $\int_{-1}^{1} f(x)dx$의 값은?

[3.3점]

① $\dfrac{31}{6}$ ② $\dfrac{11}{2}$ ③ $\dfrac{35}{6}$

④ $\dfrac{37}{6}$ ⑤ $\dfrac{13}{2}$

07

그림의 색칠한 부분의 넓이는? [3.7점]

① 14   ② $\dfrac{44}{3}$ ③ $\dfrac{46}{3}$

④ 16   ⑤ $\dfrac{50}{3}$

08

함수 $y=x^3-2x^2-3x$의 그래프와 x축으로 둘러싸인 부분의 넓이는? [3.7점]

① $\dfrac{31}{3}$ ② $\dfrac{65}{6}$ ③ $\dfrac{34}{3}$

④ $\dfrac{71}{6}$ ⑤ $\dfrac{37}{3}$

09

직선 선로를 달리는 어떤 열차가 제동을 건 후 t초 동안 달린 거리를 x m라 하면 $x=-0.35t^2+7t$이다. 이 열차가 제동을 건 후 정지할 때까지 달린 거리는? [3.7점]

① 35 m   ② 40 m   ③ 45 m

④ 50 m   ⑤ 55 m

10

수직선 위를 움직이는 점 P의 시각 t에서의 속도 $v(t)$의 그래프가 그림과 같다. $t=0$에서 $t=3$까지 점 P가 움직인 거리는? [3.7점]

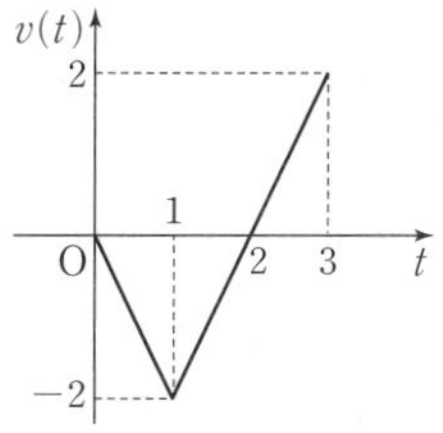

① 1   ② 2

③ 3   ④ 4

⑤ 5

11

곡선 $y=f(x)$ 위의 점 $(x, f(x))$에서의 접선의 기울기가 $2x-6$이고 $y=f(x)$의 최솟값이 5일 때, $f(2)$의 값은? [3.7점]

① 4   ② 5   ③ 6

④ 7   ⑤ 8

12

임의의 실수 x에 대하여 함수 $f(x)$가 등식

$$\int_3^x f(t)dt = x^2 - 2x + a$$를 만족시킬 때, $a+f(4)$의 값은?

(단, a는 상수이다.) [3.7점]

① 1   ② 3   ③ 5

④ 7   ⑤ 9

13

실수 전체의 집합에서 연속인 함수 $y=f(x)$가 모든 실수 x에 대하여

$$f(x+3)=f(x), \int_1^4 f(x)dx=5$$

를 만족시킬 때, 정적분 $\int_1^{19} f(x)dx$의 값은? [4점]

① 14   ② 18   ③ 22

④ 26   ⑤ 30

14

다항함수 $y=f(x)$가 $f(x)=8x^3+6x^2+2\int_0^1 f(t)dt$를 만족시킬 때, $f(0)$의 값은? [4점]

① -8 ② -4 ③ 0

④ 4   ⑤ 8

15

모든 실수 x에 대하여 함수 $f(x)$가

$$\int_0^x (x-t)f(t)dt = \frac{1}{8}x^4+5x^2$$

을 만족시킬 때, $f(x)$의 최솟값은? [4점]

① 4   ② 6   ③ 8

④ 10   ⑤ 12

16

미분가능한 두 함수 $f(x), g(x)$가 다음 조건을 만족시킬 때, $g(2)$의 값은? [4점]

> (가) $f(2)=1, f'(2)=g'(2)=2$
>
> (나) $\int xf(x)g(x)dx = 2x^2f(x)+g(x)-3x^2$

① 5   ② 7   ③ 9

④ 11   ⑤ 13

17

최고차항의 계수가 1인 삼차함수 $y=f(x)$에 대하여 $f(0)=12$, $f(2)=f'(2)=0$이 성립한다. 함수 $y=f(x)$의 극솟값은?

[4점]

① -8　　② -6　　③ -4

④ -2　　⑤ 0

18

양수 a에 대하여 함수 $f(x)$가 다음 조건을 만족시킨다.

$$(가)\ \int_0^1 f(t)dt=1$$

$$(나)\ 모든\ 실수\ x에\ 대하여\ \int_0^x f(t)dt=\frac{x^2}{9}\int_0^a f(t)dt$$

$f(a)$의 값은? [4점]

① 3　　② 6　　③ 9

④ 12　　⑤ 15

※ 다음은 서술형 문제입니다. 서술형 답안지에 풀이 과정과 답을 정확하게 서술하시오.

서술형 주관식

19

수직선 위를 움직이는 점 P의 시각 t에서의 속도는 $v(t)=6-2t$이고 $t=0$에서의 점 P의 좌표가 5일 때, $t=4$에서의 점 P의 좌표를 구하시오. [6점]

20

미분가능한 함수 $f(x)$와 그 부정적분 $F(x)$ 사이에 $F(x)=xf(x)+2x^3-x^2$인 관계가 있다. $f(0)=2$일 때, $f(2)$의 값을 구하시오. [6점]

● 선생님! 저작권을 지켜주셔서 감사합니다~

21
▶ 유튜브 강의

$x>2$일 때, 부등식 $x^4-32x+50>0$이 성립함을 보이시오.

[6점]

22
▶ 유튜브 강의

함수 $f(x)=x^3+3(a-1)x^2-3(a-3)x+2$가 $x\leq0$에서 극 값을 갖지 않도록 하는 실수 a의 값의 범위를 구하시오. [8점]

23
▶ 유튜브 강의

두 곡선 $y=x^2-2$, $y=-x^2+\dfrac{2}{n^2}$로 둘러싸인 부분의 넓이가 $\dfrac{17\sqrt{17}}{24}$일 때, 자연수 n의 값을 구하시오. [8점]

수 학 II

범위: 평균값 정리 ~ 정적분의 활용

대상	2학년	고사일시	20	년	월	일	과목코드	03	시간	50분	점수	/100점

• 답안지에 필요한 인적 사항을 정확히 기입할 것.
• 객관식 문제의 답안 표기는 OMR카드에 반드시 컴퓨터용 사인펜을 사용하여 기입할 것.
• 주관식 문제의 답안 표기는 반드시 검은색 펜을 사용할 것.

객관식

01

함수 $f(x)=x^3+x$에 대하여 닫힌구간 $[1, 4]$에서 평균값 정리를 만족시키는 상수 c의 값은? [3.3점]

① 2   ② $\sqrt{5}$ ③ $\sqrt{6}$

④ $\sqrt{7}$ ⑤ $2\sqrt{2}$

02

정적분 $\displaystyle\int_0^1 10(x-1)(x+1)(x^2+1)\,dx$의 값은? [3.3점]

① 4   ② -2 ③ -4

④ -6 ⑤ -8

03

함수 $y=f(x)$가

$$f(x)=\int (x+1)^2\,dx-\int (x-1)^2\,dx$$

이고 $f(2)=7$일 때, $f(1)$의 값은? [3.3점]

① 0   ② 1   ③ 2

④ 3   ⑤ 4

04

함수 $f(x)=x^3+ax^2+9x+b$가 $x=1$에서 극댓값 0을 가질 때, 함수 $f(x)$의 극솟값은? (단, a, b는 상수이다.) [3.3점]

① -4 ② -3 ③ -2

④ -1 ⑤ 0

05

방정식 $x^3-2x^2-4x+a=0$이 두 개의 허근과 한 개의 양의 실근을 갖도록 하는 실수 a의 최댓값은? [3.3점]

① $-\dfrac{37}{27}$ ② $-\dfrac{38}{27}$ ③ $-\dfrac{39}{27}$

④ $-\dfrac{40}{27}$ ⑤ $-\dfrac{41}{27}$

06

함수 $y=f(x)$의 도함수가 $f'(x)=x(x-1)$일 때, $f(x)$의 극댓값과 극솟값의 차는? [3.3점]

① $\dfrac{1}{6}$ ② $\dfrac{1}{3}$ ③ $\dfrac{1}{2}$

④ $\dfrac{2}{3}$ ⑤ $\dfrac{5}{6}$

07

원점을 출발하여 수직선 위를 움직이는 점 P의 시각 t에서의 위치 x가 $x=2t^3-6t^2+4$일 때, 점 P의 운동 방향이 바뀌는 순간의 가속도는? [3.7점]

① 11 ② 12 ③ 13

④ 14 ⑤ 15

08

지상 20 m의 높이에서 처음 속도 98 m/s로 똑바로 쏘아 올린 물체의 t초 후의 속도는 $v(t)=98-9.8t$ (m/s)일 때, 물체가 지면에 떨어질 때까지 움직인 거리는 몇 m인가? [3.7점]

① 980 (m) ② 990 (m) ③ 1000 (m)

④ 1010 (m) ⑤ 1020 (m)

09

키가 2 m인 육상 선수가 야간 육상 경기에서 10 m 높이의 조명탑 바로 밑에서 출발하였다. 이 선수는 100 m를 8초에 달리는 속도로 뛰었다고 한다. 그림자의 길이의 변화율은? [3.7점]

① 1 m/s   ② 2 m/s   ③ 3 m/s

④ 3 m/s   ⑤ 5 m/s

10

함수 $f(x) = x^3 + ax^2 + bx + c$에 대하여 도함수 $y = f'(x)$의 그래프가 그림과 같다. 함수 $f(x)$의 극솟값이 1일 때, $f(x)$의 극댓값은? (단, a, b, c는 상수이다.) [3.7점]

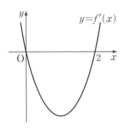

① 1   ② 2   ③ 3

④ 4   ⑤ 5

11

모든 실수 x에서 연속인 함수 $y = f(x)$의 도함수 $y = f'(x)$의 그래프가 그림과 같다. $f(-3) = 2$일 때, $f(5)$의 값은? [3.7점]

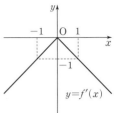

① -5 ② -10

③ -15 ④ -20

⑤ -25

12

다항함수 $y = f(x)$가 임의의 실수 x에 대하여

$$f(x) = 6x^2 + \int_0^1 (2x+1)f(t)dt$$

를 만족시킬 때, $f(3)$의 값은? [3.7점]

① 40   ② 41   ③ 42

④ 43   ⑤ 44

13

함수 $f(x)=x^3-(a+2)x^2+ax$에 대하여 곡선 $y=f(x)$ 위의 점 $(t, f(t))$에서의 접선의 y절편을 $g(t)$라 하자.
함수 $y=g(t)$가 구간 $[0, 6]$에서 증가할 때, 실수 a의 값의 범위는? [4점]

① $a\geq 8$ ② $8\leq a\leq 12$ ③ $a\geq 12$

④ $12\leq a\leq 16$ ⑤ $a\geq 16$

14

곡선 $y=x^3-(a+3)x^2+3ax$ $(0<a<3)$와 x축으로 둘러싸인 두 부분의 넓이가 서로 같을 때, 상수 a의 값은? [4점]

① $\dfrac{1}{2}$ ② $\dfrac{2}{2}$ ③ $\dfrac{3}{2}$

④ $\dfrac{4}{2}$ ⑤ $\dfrac{5}{2}$

15

원점을 출발하여 수직선 위를 움직이는 점 P의 시각 t $(0\leq t\leq 8)$에서의 속도 $v(t)$의 그래프가 그림과 같을 때, 〈보기〉에서 옳은 것만을 있는 대로 고른 것은? [4점]

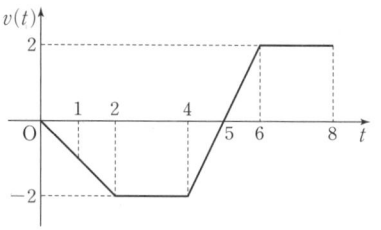

| 보기 |

ㄱ. 점 P는 출발하고 나서 방향을 한 번 바꾼다.

ㄴ. 점 P는 $t=5$일 때, 움직인 거리는 7이다.

ㄷ. 점 P는 $t=8$일 때, 원점으로부터 가장 멀리 떨어져 있다.

① ㄴ   ② ㄷ   ③ ㄱ, ㄴ

④ ㄱ, ㄷ   ⑤ ㄴ, ㄷ

16

그림과 같이 삼차함수 $y=f(x)$가 극댓값 $f(1)=1$과 극솟값 $f(3)=-3$을 가지며, $f(0)=-3$이다. 정적분 $\displaystyle\int_0^3|f'(x)|\,dx$의 값은? [4점]

① 4   ② 5

③ 6   ④ 7

⑤ 8

17

 ▶ 유튜브 강의

함수 $f(x)=x^3-3x^2+4$ $(-1\leq x\leq 3)$에 대하여 함수 $y=(f\circ f)(x)$의 최솟값은? [4점]

① 3   ② 2   ③ 1

④ 0   ⑤ −1

18

 ▶ 유튜브 강의

연속함수 $f(x)$가 다음 조건을 만족시킬 때, 정적분

$\displaystyle\int_1^{100} f(x)dx$의 값은? [4점]

> (가) 모든 실수 x에 대하여 $f(x)=f(x+2)$
> (나) $-1\leq x\leq 1$일 때, $f(x)=-x^2+1$

① 62   ② 64   ③ 66

④ 68   ⑤ 70

※ 다음은 서술형 문제입니다. 서술형 답안지에 풀이 과정과 답을 정확하게 서술하시오.

서술형 주관식

19

함수 $f(x)=6x^2-2x$에 대하여 정적분

$$\int_2^4 f(x)dx-\int_3^4 f(x)dx+\int_1^2 f(x)dx$$

의 값을 구하시오. [6점]

20

$x>k$일 때, 부등식 $x^3-3x+2>0$이 성립하도록 하는 실수 k의 값의 범위를 구하시오. [6점]

● 선생님! 저작권을 지켜주셔서 감사합니다~

아름다운샘

21

▶유튜브 강의

등식 $f(x)=x^3-\dfrac{3}{2}x^2-6x+2\displaystyle\int_0^2 f(x)\,dx$를 만족시키는 함수 $y=f(x)$의 극댓값을 구하시오. [6점]

22

▶유튜브 강의

곡선 $y=x^2$과 점 $(1, 5)$를 지나는 직선으로 둘러싸인 부분의 넓이의 최솟값을 구하시오. [8점]

23

▶유튜브 강의

최고차항의 계수가 1인 삼차함수 $f(x)$가 다음 조건을 만족시킨다.

⑴ $f(0)=-3$

⑷ 모든 양의 실수 x에 대하여 $6x-6\le f(x)\le 2x^3-2$이다.

함수 $g(x)=f(x)-2x$라 할 때, 함수 $g(x)$의 극댓값을 구하시오. [8점]

수 학 II

범위: 평균값 정리 ~ 정적분의 활용

대상	2학년	고사일시	20 년 월 일	과목코드	04	시간	50분	점수	/100점

• 답안지에 필요한 인적 사항을 정확히 기입할 것.
• 객관식 문제의 답안 표기는 OMR카드에 반드시 컴퓨터용 사인펜을 사용하여 기입할 것.
• 주관식 문제의 답안 표기는 반드시 검은색 펜을 사용할 것.

객관식

01

함수 $f(x)$에 대하여 $f'(x)=2x-3$이고 $f(0)=10$일 때, $f(2)$의 값은? [3.3점]

① 6　　　　② 7　　　　③ 8
④ 9　　　　⑤ 10

02

정적분 $\int_0^2 (2x^2+3)\,dx - 2\int_0^2 (x-2)^2\,dx$의 값은? [3.3점]

① 5　　　　② 6　　　　③ 7
④ 8　　　　⑤ 9

03

함수 $f(x)=x^3-6x^2+ax+5$가 임의의 두 실수 x_1, x_2에 대하여 $x_1<x_2$이면 $f(x_1)<f(x_2)$인 관계를 만족시키는 실수 a의 최솟값은? [3.3점]

① 9　　　　② 10　　　　③ 11
④ 12　　　　⑤ 13

04

다항함수 $y=f(x)$의 도함수 $y=f'(x)$의 그래프가 그림과 같을 때, 다음 중 옳은 것은? [3.3점]

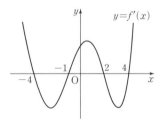

① $y=f(x)$는 구간 $(-\infty, -4)$에서 감소한다.
② $y=f(x)$는 구간 $(2, 4)$에서 증가한다.
③ $y=f(x)$는 구간 $(-4, -1)$에서 증가한다.
④ $y=f(x)$는 구간 $(4, \infty)$에서 감소한다.
⑤ $y=f(x)$는 구간 $(-1, 2)$에서 증가한다

05

지면에서 20 m/s의 속도로 똑바로 위로 던진 공의 t초 후의 높이를 $h(t)$ m라 할 때, $h(t)=20t-5t^2$인 관계가 성립한다. 공이 도달한 최고 높이는? [3.3점]

① 20 m   ② 25 m   ③ 30 m

④ 35 m   ⑤ 40 m

06

함수 $F(x)=5x^3+ax^2+bx$가 함수 $y=f(x)$의 부정적분 중 하나이고 $f(0)=2, f'(0)=-2$일 때, 두 상수 a, b에 대하여 ab의 값은? [3.3점]

① -2 ② -1 ③ 1

④ 2   ⑤ 4

07

다항함수 $y=f(x)$가 모든 실수 x에 대하여 $f(-x)=-f(x)$이고, $\int_1^3 f(x)dx=5$를 만족시킬 때, 정적분 $\int_{-1}^3 f(x)dx$의 값은? [3.7점]

① -10 ② -5 ③ 0

④ 5   ⑤ 10

08

함수 $f(x)=ax^3+bx^2+c$가 점 $(1, 1)$에서 극값을 갖고, 곡선 $y=f(x)$ 위의 $x=2$인 점에서의 접선의 기울기가 12일 때, 세 상수 a, b, c에 대하여 $a+b+c$의 값은? [3.7점]

① -2 ② -1 ③ 0

④ 1   ⑤ 2

09

그림과 같이 곡선 $y=-x^2+3x$ $(0<x<3)$ 위의 점 P에서 x축에 내린 수선의 발을 H라 하자. 삼각형 POH의 넓이가 최대일 때, $3\overline{OH}$의 값은? (단, O는 원점이다.)

[3.7점]

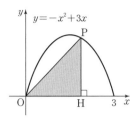

① 5　　　　② 6　　　　③ 7

④ 8　　　　⑤ 9

10

점 $(1, a)$에서 곡선 $y=x^3-3x$에 한 개의 접선을 그을 수 있도록 하는 실수 a의 값의 범위가 $a<\alpha$ 또는 $a>\beta$일 때, $\alpha-\beta$의 값은? [3.7점]

① -3　　　② -2　　　③ -1

④ 0　　　　⑤ 1

11

사차함수 $y=f(x)$의 도함수 $y=f'(x)$의 그래프가 그림과 같다. 함수 $y=f(x)$의 극댓값이 0이고, 극솟값이 -16일 때, $f(1)$의 값은?

[3.7점]

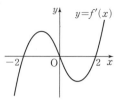

① -7　　　② -6　　　③ -5

④ -4　　　⑤ -3

12

이차함수 $f(x)=ax^2+bx$가 다음 조건을 만족시킬 때, $f(2)$의 값은? (단, a, b는 상수이다.) [3.7점]

> (가) $\displaystyle\lim_{x\to 1}\frac{f(x)-f(1)}{x^2-1}=-6$
>
> (나) $\displaystyle\int_0^1 f(x)dx=-4$

① -28　　　② -24　　　③ -20

④ -16　　　⑤ -12

13

다항함수 $f(x)$가 모든 실수 x에 대하여

$$x^2 f(x) = 2x^6 - ax^4 + 2\int_1^x t f(t)\, dt$$

를 만족시키고 $f(0) = 3$일 때, $f(2)$의 값은?

(단, a는 상수이다.) [4점]

① 15   ② 16   ③ 17

④ 18   ⑤ 19

14

함수 $f(x) = \int_x^{x+a} t(t-2)\, dt$가 $x = -1$에서 극솟값을 가질 때, $f'(1)$의 값은? (단, $a > 0$) [4점]

① -16 ② -8 ③ 0

④ 8   ⑤ 16

15

구간 $[0, 3]$에서 정의된 함수 $y = -x^2 + ax \ (a > 3)$의 그래프와 x축 및 직선 $x = 3$으로 둘러싸인 부분의 넓이가 27일 때, 상수 a의 값은? [4점]

① 7   ② 8   ③ 9

④ 10   ⑤ 11

16

▶유튜브 강의

어떤 자동차가 시속 k km로 도로를 달릴 때, 100 m 앞에 정지한 자동차를 보고 제동을 걸면 일정한 가속도 4 m/s^{2}으로 감속하여 정지할 수 있다고 한다. 이 자동차가 앞의 자동차와 부딪히지 않고 정지할 때, 정수 k의 최댓값은?

(단, $\sqrt{2} = 1.4$로 계산한다.) [4점]

① 92   ② 96   ③ 100

④ 105   ⑤ 110

17

▶유튜브 강의

최고차항의 계수가 1인 사차함수 $f(x)$가 다음 조건을 만족시킬 때, 함수 $f(x)$의 극댓값은? [4점]

㉮ $f(0)=2$
㉯ $f(4-x)=f(x)$
㉰ $x=3$에서 극솟값을 갖는다.

① -2 ② -4 ③ -6
④ -8 ⑤ -10

18

▶유튜브 강의

자연수 n에 대하여 함수 $f(n)=\int_0^{2n}|x-n|dx$일 때, $f(1)+f(3)+f(5)+\cdots+f(19)$의 값은? [4점]

① 1300   ② 1310   ③ 1320
④ 1330   ⑤ 1340

※ 다음은 서술형 문제입니다. 서술형 답안지에 풀이 과정과 답을 정확하게 서술하시오.

서술형 주관식

19

함수 $f(x)=x^3-3x-2$의 그래프에서 극대가 되는 점과 극소가 되는 점 사이의 거리를 구하시오. [6점]

20

모든 실수 x에 대하여 부등식 $3x^4-x^3+2x+5\geq3x^3+2x+4$이 성립함을 보이시오. [6점]

21

실수 전체의 집합에서 연속인 함수 $f(x)$의 도함수가

$$f'(x)=\begin{cases} 3x^2 & (x\leq 1) \\ 2x-1 & (x>1) \end{cases}$$ 이고 $f(0)=3$일 때, $f(2)$의 값을

구하시오. [6점]

22

원점 O를 동시에 출발하여 수직선 위를 움직이는 두 점 P, Q의
t분 후의 좌표를 각각 x_1, x_2라 하면

$$x_1=2t^3-11t^2,\ x_2=3t^2+8t$$

이다. 선분 PQ의 중점을 M이라 할 때, 두 점 P, Q가 원점을
출발한 후 4분 동안 세 점 P, Q, M이 움직이는 방향을 바꾼 횟
수를 각각 a, b, c라 하자. $a+b+c$의 값을 구하시오. [8점]

23

▶유튜브 강의

두 곡선 $y=x^2$과 $y=-x^2$ 위의 두 점 $P(a,\ a^2)$, $Q(a,\ -a^2)$에
서의 두 접선이 수직으로 만나는 점을 R라 할 때, 이 두 곡선과
두 선분 PR, QR로 둘러싸인 부분의 넓이를 구하시오.

(단, $a>0$) [8점]

| 대상 | 2학년 | 고사일시 | 20   년   월   일 | 과목코드 | 05 | 시간 | 50분 | 점수 | /100점 |

• 답안지에 필요한 인적 사항을 정확히 기입할 것.
• 객관식 문제의 답안 표기는 OMR카드에 반드시 컴퓨터용 사인펜을 사용하여 기입할 것.
• 주관식 문제의 답안 표기는 반드시 검은색 펜을 사용할 것.

객관식

01
함수 $y=f(x)$의 부정적분 중 하나가 $y=3x^2+x+2$일 때, $f(3)$의 값은? [3.3점]

① 11   ② 13   ③ 15
④ 17   ⑤ 19

02
$\int_0^2 (x^2+2kx+5)dx=\dfrac{2}{3}$ 를 만족시키는 상수 k의 값은?

[3.3점]

① −3   ② −2   ③ −1
④ 0   ⑤ 1

03
함수 $f(x)=x^3+ax^2+bx+1$이 $x<-1$ 또는 $x>2$에서 증가하고, $-1<x<2$에서 감소할 때, 두 상수 a, b에 대하여 ab의 값은? [3.3점]

① 6   ② 7   ③ 8
④ 9   ⑤ 10

04
함수 $f(x)=3x^4-8x^3+6ax^2+7$이 극댓값과 극솟값을 모두 갖도록 하는 실수 a의 값의 범위는? [3.3점]

① $a<1$ ② $-1<a<2$
③ $0<a<3$ ④ $a<-1$ 또는 $a>1$
⑤ $a<0$ 또는 $0<a<1$

05

원점을 출발하여 수직선 위를 움직이는 점 P의 시각 t에서의 위치 x가 $x=2t^3-3t^2-5t$일 때, 속도가 7인 순간의 점 P의 가속도는? [3.3점]

① 14　　　② 16　　　③ 18
④ 20　　　⑤ 22

06

지면에서 50 m/s의 속도로 똑바로 위로 발사한 물체의 t초 후의 속도가 $v(t)=-10t+50$ (m/s)일 때, 물체가 지면에 닿는 순간의 속도는? [3.3점]

① -10 m/s　　　② -20 m/s　　　③ -30 m/s
④ -40 m/s　　　⑤ -50 m/s

07

삼차함수 $f(x)$의 도함수 $f'(x)$의 그래프가 그림과 같이 x축과 두 점 $(\alpha, 0)$, $(\beta, 0)$에서 만난다. $f(\alpha)=3$, $f(\beta)=-2$일 때, 방정식 $\{f(x)\}^2=4$의 서로 다른 실근의 개수는? [3.7점]

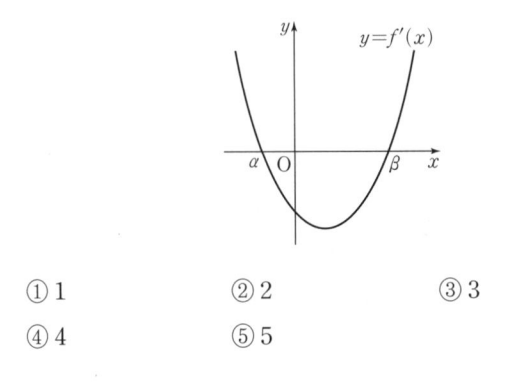

① 1　　　② 2　　　③ 3
④ 4　　　⑤ 5

08

두 곡선 $y=x^3+3x^2+4$, $y=\dfrac{9}{2}x^2+6x+4a$가 서로 다른 세 점에서 만나도록 하는 실수 a의 값의 범위가 $m<a<M$일 때, $\dfrac{M}{m}$의 값은? [3.7점]

① $-\dfrac{5}{4}$　　　② $-\dfrac{3}{4}$　　　③ $-\dfrac{1}{4}$
④ $\dfrac{1}{4}$　　　⑤ $\dfrac{3}{4}$

09

임의의 두 실수 x_1, x_2에 대하여 두 함수

$$f(x)=x^4-2a^2x^2+5,\ g(x)=-x^2+2ax-2a^2-7$$

일 때, $f(x_1)\geq g(x_2)$가 성립하도록 하는 양의 정수 a의 개수는? [3.7점]

① 1   ② 2   ③ 3

④ 4   ⑤ 5

10

함수 $y=f(x)$의 도함수 $y=f'(x)$는 이차함수이고, $y=f'(x)$의 그래프가 그림과 같다. $y=f(x)$의 극댓값이 5, 극솟값이 1일 때, $f(1)$의 값은?

[3.7점]

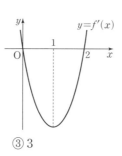

① 1   ② 2   ③ 3

④ 4   ⑤ 5

11

곡선 $y=x^2-3x+4$와 직선 $y=2x$로 둘러싸인 부분의 넓이를 S라 할 때, $2S$의 값은? [3.7점]

① 3   ② 5   ③ 7

④ 9   ⑤ 11

12

▶유튜브 강의

그림과 같이 밑면의 반지름의 길이가 1인 원뿔에 원기둥을 내접시키려고 한다. 원기둥의 부피가 최대가 되도록 하는 원기둥의 밑면의 반지름의 길이가 a일 때, $3a$는? [3.7점]

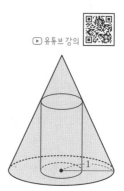

① 1   ② 2

③ 3   ④ 4

⑤ 5

아름다운샘

13

다항함수 $y=f(x)$가 임의의 실수 x에 대하여

$$\int_2^x f(t)\,dt = x^3 - 3x^2 + ax + b$$

를 만족시키고 $f(1)=2$일 때, $a+b$의 값은?

(단, a, b는 상수이다.) [4점]

① -3 　　② -1 　　③ 1

④ 3 　　⑤ 5

14

정적분 $\displaystyle\int_0^5 (|x-2|+|x-4|)\,dx$의 값은? [4점]

① 9 　　② 12 　　③ 15

④ 18 　　⑤ 21

15

임의의 실수 x에 대하여 연속함수 $f(x)$가 $f(3+x)=f(3-x)$

를 만족시키고 $\displaystyle\int_3^9 f(x)\,dx=10$, $\displaystyle\int_{-3}^0 f(x)\,dx=3$일 때,

정적분 $\displaystyle\int_0^6 f(x)\,dx$의 값은? [4점]

① 12 　　② 14 　　③ 16

④ 18 　　⑤ 20

16

함수 $f(x)=x^3-x^2+3x+4$일 때,

$\displaystyle\lim_{x\to 3}\frac{1}{x-3}\int_0^{x-3}\{(t^2-1)f(t)+5\}\,dt$의 값은? [4점]

① 1 　　② 3 　　③ 5

④ 7 　　⑤ 9

17

 ▶ 유튜브 강의

두 다항함수 $y=f(x)$, $y=g(x)$가

$$f(x)=\int xg(x)\,dx,\quad \frac{d}{dx}\{f(x)-g(x)\}=4x^3+2x$$

를 만족시킬 때, $g(-1)$의 값은? [4점]

① 8   ② 10   ③ 12

④ 14   ⑤ 16

18

 ▶ 유튜브 강의

함수 $f(x)=\begin{cases} -1 & (x<1) \\ -x+2 & (x\geq 1) \end{cases}$ 에 대하여 함수 $g(x)$를

$$g(x)=\int_{-1}^{x}(t-1)f(t)dt$$

라 하자. 방정식 $g(x)=k$의 서로 다른 실근의 개수를 $N(k)$라 할 때, $N(1)+N(2)+N(3)+N(4)$의 값은? [4점]

① 4   ② 5   ③ 6

④ 7   ⑤ 8

※ 다음은 서술형 문제입니다. 서술형 답안지에 풀이 과정과 답을 정확하게 서술하시오.

서술형 주관식

19

함수 $f(x)=-x^2+ax-7$에 대하여 닫힌구간 $[1, 3]$에서 롤의 정리를 만족시키는 실수 c의 값이 2일 때, 상수 a의 값을 구하시오. [6점]

20

삼차함수 $f(x)=-x^3+ax^2+bx+3$이 $x=2$에서 극댓값, $x=0$에서 극솟값을 가질 때, $f(2)$의 값을 구하시오.

(단, a, b는 상수이다.) [6점]

아름다운샘

21

다항함수 $y=f(x)$에 대하여

$$\int_0^x f(t)dt = x^3 - 4x^2 - 2x\int_0^1 f(t)dt$$

일 때, $f(0)=a$라 하자. $20a$의 값을 구하시오.

(단, a는 상수이다.) [6점]

22

삼차함수 $f(x)=x^3-6$의 역함수 $f^{-1}(x)$의 그래프와 두 직선 $y=x$, $y=0$으로 둘러싸인 부분의 넓이를 구하시오. [8점]

23

모든 계수가 정수인 삼차함수 $f(x)$에 대하여 다음 조건을 만족시키는 함수 $f(x)$의 극댓값을 M, 극솟값을 m이라 할 때, Mm의 값을 구하시오. [8점]

(가) 모든 실수 x에 대하여 $f(-x)=-f(x)$

(나) $f(1)=2$

(다) $-2 < f'(1) < 4$

수 학 II

범위: 평균값 정리 ~ 정적분의 활용

대상	2학년	고사일시	20 년 월 일	과목코드	06	시간	50분	점수	/100점

- 답안지에 필요한 인적 사항을 정확히 기입할 것.
- 객관식 문제의 답안 표기는 OMR카드에 반드시 컴퓨터용 사인펜을 사용하여 기입할 것.
- 주관식 문제의 답안 표기는 반드시 검은색 펜을 사용할 것.

객관식

01

정적분 $\int_1^3 (8x^3+4x)\,dx$의 값은? [3.3점]

① 170   ② 172   ③ 174

④ 176   ⑤ 178

02

함수 $f(x)=2x^3-12x^2+ax+5$가 $x=1$에서 극댓값 M을 가질 때, $a-M$의 값은? (단, a는 상수이다.) [3.3점]

① 1   ② 2   ③ 3

④ 4   ⑤ 5

03

함수 $y=f(x)$의 도함수 $y=f'(x)$의 그래프는 그림과 같이 이차함수이고 $f(1)=3$이 성립할 때, $f(2)$의 값은? [3.3점]

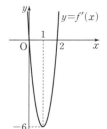

① −1   ② 0

③ 1   ④ 2

⑤ 3

04

실수 전체의 집합에서 정의된 함수 $f(x)=2x^3-x^2+kx+3$이 임의의 두 실수 x_1, x_2에 대하여 $x_1 \neq x_2$이면 $f(x_1) \neq f(x_2)$를 만족시킬 때, 상수 k의 최솟값은? [3.3점]

① $\frac{1}{6}$ ② $\frac{1}{5}$ ③ $\frac{1}{4}$

④ $\frac{1}{3}$ ⑤ $\frac{1}{2}$

05

두 함수 $f(x)=-x^4+4x-a$, $g(x)=x^2-2x+a$의 그래프가 오직 한 점에서 만날 때, 상수 a의 값은? [3.3점]

① 1 　② 2 　③ 3
④ 4 　⑤ 5

06

두 곡선 $y=x^3-3x^2+x$, $y=3x^2-8x+a$가 서로 다른 두 점에서 만날 때, 양수 a의 값은? [3.3점]

① 1 　② 2 　③ 3
④ 4 　⑤ 5

07

모든 실수 x에 대하여 $x^4+x^2-8x\geq-2x^2-18x+a$이기 위한 실수 a의 값의 범위는? [3.7점]

① $a\leq-6$ 　② $a\geq-1$ 　③ $a>-6$
④ $a<6$ 　⑤ $a>-1$

08

수직선 위를 움직이는 점 P의 시각 t에서의 위치가 $x=t^3-4t+7$로 주어졌다. $0\leq t\leq2$에서 점 P의 속도의 최댓값을 a, 속력의 최댓값을 b라 할 때, $a+b$의 값은?
(단, a, b는 상수이다.) [3.7점]

① 14 　② 16 　③ 18
④ 20 　⑤ 22

09

수직선 위를 움직이는 두 물체 A, B가 있다. 동시에 원점을 출발하여 t초 후의 A, B의 속도가 각각 $3t^2-2t+3$, $4t+1$일 때, B가 A보다 앞서 있을 때의 t의 값의 범위는? [3.7점]

① $0<t<1$ ② $0<t<2$ ③ $1<t<2$

④ $1<t<3$ ⑤ $2<t<3$

10

함수 $f(x)=\int (1+2x+3x^2+\cdots+nx^{n-1})\,dx$에 대하여 $f(0)=-2$일 때, $f(2)$의 값은? [3.7점]

① 2^n-4 ② 2^n ③ $2^{n+1}-4$

④ 2^{n+1} ⑤ $2^{n+1}+4$

11

실수 전체의 집합에서 미분가능한 함수 $y=f(x)$에 대하여 함수 $f(x)=\int_x^{x+1}(t^3+3t)\,dt$가 성립할 때, 정적분 $\int_1^3 f'(x)\,dx$의 값은? [3.7점]

① 40   ② 42   ③ 44

④ 46   ⑤ 48

12

함수 $f(x)=x^3-3x^2+3x-5$일 때, $\displaystyle\lim_{x\to 1}\frac{1}{x-1}\int_x^1 f(t)\,dt$의 값은? [3.7점]

① -4 ② -2 ③ 0

④ 2   ⑤ 4

아름다운샘

13

두 곡선 $y=x(a-x)$, $y=x^2(a-x)$로 둘러싸인 두 부분의 넓이가 같을 때, 상수 a의 값은? (단, $a>1$) [4점]

① $\dfrac{7}{2}$　　　② 3　　　③ $\dfrac{5}{2}$

④ 2　　　⑤ $\dfrac{3}{2}$

14

실수 전체의 집합에서 연속인 함수 $f(x)$에 대하여 $f(0)=0$이고 $f'(x)=x+|x-1|$일 때, $f(3)$의 값은? [4점]

① 7　　　② 8　　　③ 9

④ 10　　　⑤ 11

15

함수 $f(x)=2x-5$에 대하여 $\sum\limits_{n=0}^{a}\displaystyle\int_{n}^{n+1}f(x)dx=14$를 만족시킬 때, 양수 a의 값은? [4점]

① 8　　　② 6　　　③ 4

④ 2　　　⑤ 1

16

▶유튜브 강의

연속함수 $f(x)$는 임의의 실수 x에 대하여 다음 조건을 모두 만족시킨다.

> (가) $f(-x)=f(x)$
> (나) $f(x)=f(x+4)$

$\displaystyle\int_{0}^{2}f(x)dx=5$일 때, 정적분 $\displaystyle\int_{-4}^{8}f(x)dx$의 값은? [4점]

① 10　　　② 15　　　③ 20

④ 25　　　⑤ 30

17

미분가능한 함수 $f(x)$는 $x=1$에서 극댓값 4를 갖는다. 함수 $g(x)$를 $g(x)=(2x+1)f(x)$라 할 때, 곡선 $y=g(x)$의 $x=1$인 점에서의 접선과 x축 및 y축으로 둘러싸인 도형의 넓이는? [4점]

① -1　　　　② $-\dfrac{1}{2}$　　　　③ 0

④ $\dfrac{1}{2}$　　　　⑤ 1

18

삼차함수 $y=f(x)$와 이차함수 $y=g(x)$의 도함수의 그래프가 그림과 같다. 함수 $h(x)$를 $h(x)=f(x)-g(x)$, $f(0)=g(0)$ 이라 할 때, 옳은 것만을 〈보기〉에서 있는 대로 고른 것은? [4점]

▶ 유튜브 강의

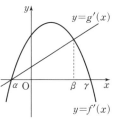

┤ 보기 ├
ㄱ. $\alpha < x < \beta$에서 $h(x)$는 증가한다.
ㄴ. $h(x)$는 $x=\beta$에서 극댓값을 갖는다.
ㄷ. $h(x)=0$은 서로 다른 두 실근을 갖는다.

① ㄱ　　　　② ㄴ　　　　③ ㄱ, ㄴ
④ ㄴ, ㄷ　　　　⑤ ㄱ, ㄴ, ㄷ

※ 다음은 서술형 문제입니다. 서술형 답안지에 풀이 과정과 답을 정확하게 서술하시오.

서술형 주관식

19

함수 $f(x)=x^3-5x^2+7x-3$에 대하여 닫힌구간 $[0, 3]$에서 $f(3)-f(0)=3f'(c)$를 만족시키는 모든 실수 c의 값의 곱을 구하시오. [6점]

20

함수 $f(x)=x^3+ax^2+bx+c$는 $x=-2$, $x=3$에서 극값을 갖고 극댓값이 16이다. 이때, 극솟값을 구하시오.

(단, a, b, c는 상수이다.) [6점]

21

그림과 같이 한 변의 길이가 20인 정사각형 ABCD에서 점 P는 A에서 출발하여 변 AB 위를 매초 2씩 움직여 점 B까지, 점 Q는 점 B에서 점 P와 동시에 출발하여 변 BC 위를 매초 3씩 움직여 점 C까지 간다. 사각형

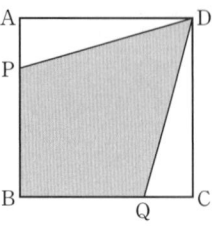

DPBQ의 넓이가 정사각형 ABCD의 넓이의 $\dfrac{3}{5}$이 되는 순간의 삼각형 PBQ의 넓이의 시각(초)에 대한 순간변화율을 구하시오.

[6점]

22

$x=-1$에서 미분가능한 함수

$$f(x)=\begin{cases} ax^3+2x^2-3 & (x\geq-1) \\ x^2+bx & (x<-1) \end{cases}$$

에 대하여 $\displaystyle\int_{-3}^{3} f(x)\,dx$의 값을 구하시오.

(단, a, b는 상수이다.) [8점]

23

곡선 $y=|x^2-ax|$와 직선 $y=ax$로 둘러싸인 부분의 넓이가 64일 때, 양수 a의 값을 구하시오. [8점]

수 학 II

범위: 평균값 정리 ~ 정적분의 활용

대상	2학년	고사일시	20 년 월 일	과목코드	07	시간	50분	점수	/100점

• 답안지에 필요한 인적 사항을 정확히 기입할 것.
• 객관식 문제의 답안 표기는 OMR카드에 반드시 컴퓨터용 사인펜을 사용하여 기입할 것.
• 주관식 문제의 답안 표기는 반드시 검은색 펜을 사용할 것.

객관식

01

함수 $y=f(x)$에 대하여 $f'(x)=3x^2-4x+1$이고 $f(0)=2$일 때, $f(1)$의 값은? [3.3점]

① 2 ② 3 ③ 4
④ 5 ⑤ 6

02

삼차함수 $y=x^3-3ax^2+4a$의 그래프가 x축에 접할 때, 상수 a의 값은? (단, $a<0$) [3.3점]

① -2 ② -1 ③ 1
④ 2 ⑤ 3

03

함수 $f(x)=x^3-6x^2-15x-1$이 감소하는 구간에 속하는 모든 정수 x의 값의 합은? [3.3점]

① 8 ② 10 ③ 12
④ 14 ⑤ 16

04

이차함수 $y=x^2-4x+3$의 그래프와 x축 및 y축으로 둘러싸인 부분의 넓이는? [3.3점]

① $\dfrac{4}{3}$ ② 2 ③ $\dfrac{8}{3}$
④ 3 ⑤ $\dfrac{10}{3}$

05

$\displaystyle\sum_{n=1}^{100}\int_{0}^{1}(1-x)x^{n-1}\,dx$의 값은? [3.3점]

① $\dfrac{1}{101}$　　② $\dfrac{10}{101}$　　③ $\dfrac{11}{101}$

④ $\dfrac{100}{101}$　　⑤ 1

06

다항함수 $y=f(x)$의 도함수 $y=f'(x)$의 그래프가 그림과 같을 때, 항상 옳은 것은? [3.3점]

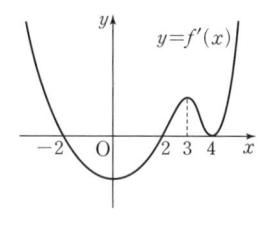

① $f(x)$는 $x=-2$에서 극소이다.
② $f(x)$는 $x=3$에서 극값을 갖지 않는다.
③ $f(x)$는 모두 1개의 극값을 갖는다.
④ $f(x)$는 구간 $(0,3)$에서 증가한다.
⑤ 방정식 $f(x)=0$은 $x=4$에서 중근을 갖는다.

07

원점을 출발하여 수직선 위를 움직이는 점 P의 시각 t에서의 위치 x가 $x=t^{3}+at^{2}+bt$일 때, $t=3$에서 점 P의 속도가 13이고, $t=4$에서 점 P의 속도가 30이다. 두 상수 a, b에 대하여 $a+b$의 값은? [3.7점]

① -4　　② -2　　③ 0

④ 2　　⑤ 4

08

직선 도로에서 매초 $40\,\mathrm{m}$의 속도로 달리는 자동차가 제동을 건지 t초 후의 속도는 $v(t)=40-8t\,(\mathrm{m/s})$라고 한다. 제동을 건 후 정지할 때까지 이 자동차가 달린 거리는? [3.7점]

① $60\,\mathrm{m}$　　② $80\,\mathrm{m}$　　③ $100\,\mathrm{m}$

④ $120\,\mathrm{m}$　　⑤ $140\,\mathrm{m}$

09

삼차함수 $f(x)=ax^3-3x+b$의 극댓값이 5, 극솟값이 3일 때, $f(1)-f'(-1)$의 값은? (단, a, b는 상수이다.) [3.7점]

① -10 ② -8 ③ -6

④ -4 ⑤ -2

10

$-3\le x\le 0$에서 함수 $f(x)=-\dfrac{1}{2}ax^4+3ax^2-4ax+b$의 최댓값이 54, 최솟값이 0일 때, 두 상수 a, b에 대하여 $a+b$의 값은?

(단, $a>0$) [3.7점]

① 6 ② 7 ③ 8

④ 9 ⑤ 10

11

구간 $[-1,2]$에서 두 함수 $f(x)=x^3+3x^2+x$, $g(x)=3x^2+4x+k$에 대하여 $f(x)\ge g(x)$가 성립하도록 하는 실수 k의 최댓값은? [3.7점]

① -3 ② -2 ③ -1

④ 0 ⑤ 1

12

함수 $f(x)=\begin{cases} 4x^2+1 & (x<1) \\ 3x+2 & (x\ge 1) \end{cases}$ 일 때, 정적분 $\displaystyle\int_0^2 xf(x)\,dx$의 값은? [3.7점]

① $\dfrac{19}{2}$ ② $\dfrac{21}{2}$ ③ $\dfrac{23}{2}$

④ $\dfrac{25}{2}$ ⑤ $\dfrac{27}{2}$

아름다운샘

13

다항함수 $f(x)$가 모든 실수 x에 대하여

$\displaystyle\int_1^x f(t)dt = xf(x) - x^2$을 만족시킬 때, $f(10)$의 값은? [4점]

① 16   ② 17   ③ 18

④ 19   ⑤ 20

14

두 곡선 $y = x(x^2 - 2)$, $y = x^2$으로 둘러싸인 두 부분의 넓이를 각각 S_1, S_2라 할 때, $S_2 - S_1$를 구하면? (단, $S_1 < S_2$) [4점]

① $\dfrac{9}{4}$ ② $\dfrac{5}{2}$ ③ $\dfrac{11}{4}$

④ 3   ⑤ $\dfrac{13}{4}$

15

함수 $g(x) = \displaystyle\int_{-2}^x f(t)dt$이고, 삼차함수 $y = f(x)$의 그래프가 그림과 같을 때, 〈보기〉에서 옳은 것을 모두 고른 것은? [4점]

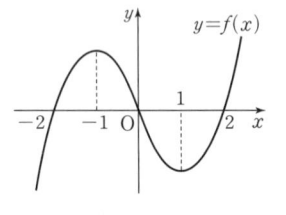

┤ 보 기 ├

ㄱ. $g(x)$는 $x = -1$에서 극댓값을 갖는다.

ㄴ. 구간 $[-2, 2]$에서 $g(x)$의 최댓값은 $x = 0$일 때이다.

ㄷ. $g'(2) = 0$

① ㄱ   ② ㄷ   ③ ㄱ, ㄴ

④ ㄴ, ㄷ   ⑤ ㄱ, ㄴ, ㄷ

16

▶ 유튜브 강의

연속함수 $f(x)$가 임의의 실수 x에 대하여 다음 세 조건을 모두 만족할 때, $\displaystyle\int_{-3}^5 f(x)dx$의 값을 구하면? [4점]

(가) $2 \le x \le 3$일 때, $f(x) = x^2 - 6x + 10$

(나) $f(6 - x) = f(x)$

(다) $f(x) = f(x + 2)$

① $\dfrac{20}{3}$ ② $\dfrac{23}{3}$ ③ $\dfrac{26}{3}$

④ $\dfrac{29}{3}$ ⑤ $\dfrac{32}{3}$

17

▶ 유튜브 강의

원점과 점 $(6, 6)$을 지나고 증가하는
함수 $y=f(x)$의 그래프와 직선 $y=x$
가 그림과 같다.

$\displaystyle\int_0^6 \{f(x)-x\}dx=6$일 때,

$\displaystyle\int_0^6 \{6-f^{-1}(x)\}dx$의 값은?

(단, $f^{-1}(x)$는 $f(x)$의 역함수이다.) [4점]

① 6   ② 12   ③ 18

④ 24   ⑤ 30

18

▶ 유튜브 강의

함수

$$f(x)=\begin{cases} a(3x-x^3) & (x<0) \\ x^3-ax & (x\geq 0) \end{cases}$$

의 극댓값이 6일 때, $f(-2)+f(2)$의 값은? (단, a는 상수이다.)

[4점]

① 4   ② 5   ③ 6

④ 7   ⑤ 8

※ 다음은 서술형 문제입니다. 서술형 답안지에 풀이 과정과 답을 정확하게 서술하시오.

서술형 주관식

19

함수 $f(x)=-x^2+3x+1$에 대하여 다음 물음에 답하시오.

(1) 닫힌구간 $[0, 3]$에서 롤의 정리를 만족시키는 상수 c를 구하시오. [3점]

(2) 닫힌구간 $[1, 5]$에서 평균값 정리를 만족시키는 상수 c를 구하시오. [3점]

20

다항함수 $y=f(t)$에 대하여 $\displaystyle\int_x^{x+1} f(t)dt=x^2$일 때,

정적분 $\displaystyle\int_0^{12} f(t)dt$의 값을 구하시오. [6점]

21

▶ 유튜브 강의

반지름의 길이가 4 cm인 공 모양의 풍선에 공기를 넣어 매초 2 mm의 비율로 반지름의 길이가 커질 때, 5초 후의 겉넓이의 변화율을 $a(\text{cm}^2/\text{s})$, 부피의 변화율을 $b(\text{cm}^3/\text{s})$라고 하자. $a+b$의 값을 구하시오. [6점]

22

함수 $f(x)=x^2-ax+\displaystyle\int_1^x g(t)dt$가 $(x-1)^2$으로 나누어떨어질 때, 다항식 $g(x)$를 $x-1$로 나눈 나머지를 구하시오.

(단, a는 상수이다.) [8점]

23

▶ 유튜브 강의

함수 $f(x)=\dfrac{1}{3}x^3+kx^2+3kx+4$가 구간 $(-1, 1)$에서 극댓값과 극솟값을 모두 갖도록 하는 실수 k의 값의 범위를 구하시오.

[8점]

수 학 Ⅱ

범위: 평균값 정리 ~ 정적분의 활용

| 대상 | 2학년 | 고사일시 | 20   년   월   일 | 과목코드 | 08 | 시간 | 50분 | 점수 | /100점 |

- 답안지에 필요한 인적 사항을 정확히 기입할 것.
- 객관식 문제의 답안 표기는 OMR카드에 반드시 컴퓨터용 사인펜을 사용하여 기입할 것.
- 주관식 문제의 답안 표기는 반드시 검은색 펜을 사용할 것.

객관식

01

다음 정적분의 값은? [3.3점]

$$\int_0^1 (x-1)(x^2+x+1)dx$$

① -1　　　② $-\dfrac{3}{4}$　　　③ $-\dfrac{1}{2}$

④ $-\dfrac{1}{4}$　　　⑤ $\dfrac{1}{4}$

02

함수 $f(x)=x^2+ax+2$에 대하여 닫힌구간 $[0, 3]$에서 롤의 정리를 만족시키는 상수 c의 값이 $\dfrac{3}{2}$이고, 닫힌구간 $[2, 4]$에서 평균값 정리를 만족시키는 상수 b가 존재할 때, $a+b$의 값은? (단, a는 상수이다.) [3.3점]

① -3　　　② -1　　　③ 0

④ 1　　　⑤ 3

03

실수 전체의 집합 R에서 R로의 함수

$$f(x)=-\frac{1}{3}x^3+ax^2-(a+2)x-5$$

의 역함수가 존재하도록 하는 실수 a의 값의 범위가 $\alpha \le a \le \beta$일 때, $\alpha+\beta$의 값은? [3.3점]

① -3　　　② -2　　　③ -1

④ 1　　　⑤ 2

04

원점을 출발하여 수직선 위를 움직이는 물체의 시각 t에서의 속도가 $v(t)=3t^2-2t+6$일 때, $t=3$에서의 점 P의 위치는? [3.3점]

① 30　　　② 32　　　③ 34

④ 36　　　⑤ 38

05

삼차방정식 $2x^3-6x^2+a+6=0$이 한 실근과 중근을 가질 때, 모든 상수 a의 값의 곱은? [3.3점]

① -12 ② -10 ③ -8

④ -6 ⑤ -4

07

원점을 출발하여 수직선 위를 움직이는 점 P의 시각 t에서의 속도 $y=v(t)$의 그래프가 그림과 같다. 점 P에 대한 설명 중 〈보기〉에서 옳은 것만을 있는 대로 고른 것은? [3.7점]

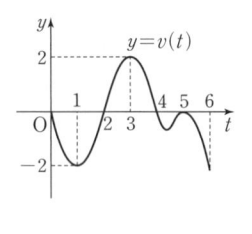

┤ 보 기 ├

ㄱ. $t=5$에서 운동 방향을 바꾸지 않는다.

ㄴ. $1<t<5$에서 운동 방향을 세 번 바꾼다.

ㄷ. $2<t<4$에서 수직선 위를 음의 방향으로 움직인다.

ㄹ. $4<t<6$에서 속도는 감소한다.

① ㄱ   ② ㄱ, ㄴ   ③ ㄱ, ㄴ, ㄷ

④ ㄱ, ㄷ, ㄹ   ⑤ ㄱ, ㄴ, ㄷ, ㄹ

06

실수 전체의 집합에서 연속인 함수 $y=f(x)$에 대하여

$\int (x-6)f(x)\,dx=x^3-108x$일 때, $f(3)$의 값은? [3.3점]

① 24   ② 27   ③ 30

④ 33   ⑤ 36

08

그림은 함수 $y=f'(x)$의 그래프를 나타낸 것이다. 함수 $f(x)=x^3+ax^2+bx+c$의 극솟값이 10일 때, 극댓값은?

(단, a, b, c는 상수이다.) [3.7점]

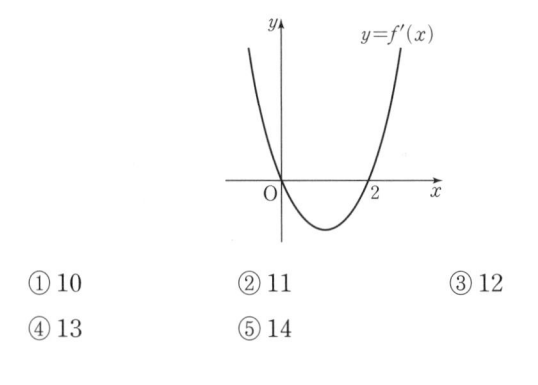

① 10   ② 11   ③ 12

④ 13   ⑤ 14

09

$f(1)=1$, $f'(2)=0$을 만족시키는 삼차함수 $y=f(x)$가 $x=0$에서 극댓값 5를 가질 때, 극솟값은? [3.7점]

① -5 ② -3 ③ -1

④ 1 ⑤ 3

10

그림과 같이 가로의 길이가 15 cm, 세로의 길이가 8 cm인 직사각형 모양의 양철판의 네 귀퉁이에서 같은 크기의 정사각형을 잘라내고 남은 부분으로 상자를 만들어 그 부피가 최대가 되도록 하려고 한다. 잘라내야 할 정사각형의 둘레의 길이는? [3.7점]

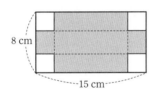

① 6 cm ② $\dfrac{19}{3}$ cm ③ $\dfrac{20}{3}$ cm

④ 7 cm ⑤ $\dfrac{22}{3}$ cm

11

x축 위를 움직이는 두 점 A, B가 있다. 원점에서 출발한 점 A의 시각 t에서의 위치를 x_A라 하면 $x_A=2t^2+13t$이고, $x=-3$인 점에서 출발한 점 B의 시각 t에서의 위치를 x_B라 하면 $x_B=2t^3-13t^2+37t-3$이다. 두 점 A, B가 $t=0$일 때 동시에 출발하여 처음 5초 동안 만나는 횟수는? [3.7점]

① 1 ② 2 ③ 3

④ 4 ⑤ 5

12

다항함수 $y=f(x)$가 다음 조건을 만족시킨다.

(가) $f(-x)=f(x)$	(나) $\displaystyle\int_0^1 f(x)dx=-2$

정적분 $\displaystyle\int_{-1}^1 (x-3)f(x)dx$의 값은? [3.7점]

① 6 ② 8 ③ 10

④ 12 ⑤ 14

13

삼차함수 $f(x)=\int_{-1}^{x} t(t-2)dt$는 $x=a$일 때 극댓값 M을 갖고, $x=b$일 때 극솟값 m을 갖는다. $a+b+M+m$의 값은? [4점]

① 2   ② $\dfrac{7}{3}$ ③ $\dfrac{8}{3}$

④ 3   ⑤ $\dfrac{10}{3}$

14

함수 $f(x)$에 대하여 $f(2)-f(0)=-2$, $f(8)-f(0)=7$이고 함수 $f(x)$의 도함수 $y=f'(x)$의 그래프가 그림과 같을 때, 함수 $y=f'(x)$의 그래프와 x축 및 y축으로 둘러싸인 부분의 넓이는? [4점]

① 11   ② 12   ③ 13

④ 14   ⑤ 15

15

곡선 $y=x^2(x-6)$과 직선 $x=a$ $(a>6)$ 및 x축으로 둘러싸인 두 부분의 넓이가 서로 같을 때, 상수 a의 값은? [4점]

① 11   ② 10   ③ 9

④ 8   ⑤ 7

16

원점을 출발하여 수직선 위를 움직이는 점 P의 시각 t에서의 위치 $f(t)$에 대하여 이차함수 $y=f'(t)$의 그래프는 그림과 같다. 점 P가 출발할 때의 운동 방향에 대하여 반대 방향으로 움직인 거리를 d라 할 때, $15d$의 값은? [4점]

① 12   ② 14   ③ 16

④ 18   ⑤ 20

17

▶유튜브 강의

양수 a에 대하여 삼차함수 $f(x)=-x(x+a)(x-a)$의 극대인 점의 x좌표를 b라 하자.

$$\int_{-b}^{a} f(x)dx=10, \quad \int_{b}^{a+b} f(x-b)dx=22$$

일 때, 정적분 $\int_{-b}^{a} |f(x)|dx$의 값은? [4점]

① 30　　　　② 32　　　　③ 34

④ 36　　　　⑤ 38

18

▶유튜브 강의

이차함수 $y=f(x)$에 대하여 함수 $y=g(x)$가

$$g(x)=\int \{x^2+f(x)\}dx, \quad f(x)g(x)=-2x^4+8x^3$$

을 만족시킬 때, $g(-1)$의 값은? [4점]

① -2　　　　② -1　　　　③ 0

④ 1　　　　⑤ 2

※ 다음은 서술형 문제입니다. 서술형 답안지에 풀이 과정과 답을 정확하게 서술하시오.

서술형 주관식

19

정적분 $\displaystyle\int_{0}^{3} \frac{x^3}{x-1}\,dx+\int_{3}^{0} \frac{1}{t-1}\,dt$의 값을 구하시오. [6점]

20

함수 $f(x)=-\dfrac{1}{2}x^4+4x^2-8$의 그래프에서 극대 또는 극소가 되는 점이 3개 있다. 이 세 점을 꼭짓점으로 하는 삼각형의 넓이를 구하시오. [6점]

21

$f(0)=4$인 사차함수 $y=f(x)$가 모든 실수 x에 대하여 $f(-x)=f(x)$를 만족시킨다. 함수 $y=f(x)$가 $x=1$에서 극솟 값 -2를 가질 때, 방정식 $|f(x)|=k$의 서로 다른 실근의 개수 가 최대가 되는 k의 값을 구하시오. [6점]

22

$\int_1^x (x-t)f(t)dt = \int_0^x (t^2+at+b)dt$를 만족시키는 함수 $f(x)$에 대하여 $f(b-a)$의 값을 구하시오. (단, a, b는 상수이다.)

[8점]

23

자연수 n에 대하여 최고차항의 계수가 1이고 다음 조건을 만족 시키는 삼차함수 $f(x)$의 극댓값을 a_n이라 하자.

㈎ $f(n)=0$
㈏ 모든 실수 x에 대하여 $(x+n)f(x) \geq 0$이다.

$\sum_{n=1}^4 a_n$의 값을 구하시오. [8점]

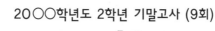

| 대상 | 2학년 | 고사일시 | 20 년 월 일 | 과목코드 | 09 | 시간 | 50분 | 점수 | /100점 |

• 답안지에 필요한 인적 사항을 정확히 기입할 것.
• 객관식 문제의 답안 표기는 OMR카드에 반드시 컴퓨터용 사인펜을 사용하여 기입할 것.
• 주관식 문제의 답안 표기는 반드시 검은색 펜을 사용할 것.

객관식

01

함수 $f(x) = -2x^3 + 3ax^2 - 6bx$가 증가하는 구간이 $[-1, 4]$일 때, 두 상수 a, b에 대하여 $a+b$의 값은? [3.3점]

① -2 ② -1 ③ 0
④ 1 ⑤ 2

02

함수 $y = f(x)$에 대하여 $f'(x) = ax - 6\ (a \neq 0)$이고 $f(0) = 3$, $f(1) = -2$일 때, $f(2)$의 값은? [3.3점]

① -5 ② -3 ③ -1
④ 3 ⑤ 5

03

정적분 $\int_{-1}^{1} (1 + 2x + 3x^2 + \cdots + 10x^9 + 11x^{10} + 12x^{11})\,dx$의 값은? [3.3점]

① 8 ② 9 ③ 10
④ 11 ⑤ 12

04

삼차함수 $f(x) = -x^3 + ax^2 - 2ax + 1$이 극값을 갖지 않기 위한 실수 a의 값의 범위는? [3.3점]

① $a \leq 0$ 또는 $a \geq 5$ ② $0 \leq a \leq 5$
③ $0 \leq a \leq 6$ ④ $a \leq 1$ 또는 $a \geq 6$
⑤ $1 \leq a \leq 5$

05

함수 $f(x)$는 실수 전체의 집합에서 미분가능하고, $f(0)=4$, $f(4)=0$이다. 함수 $g(x)$를 $g(x)=\dfrac{f(x)}{2x+1}$로 정의할 때, 닫힌구간 $[0, 4]$에서 평균값 정리를 만족시키는 상수 c에 대하여 $g'(c)$의 값은? [3.3점]

① -4　　　　② -2　　　　③ -1

④ 2　　　　⑤ 4

06

수직선 위를 움직이는 두 점 P, Q에 대하여 시각 t에서의 좌표가 각각 $p(t)=t^2-11t+6$, $q(t)=\dfrac{1}{2}t^2-4t$일 때, 점 Q의 속력이 점 P의 속력보다 커지게 되는 정수 t의 값은? [3.3점]

① 5　　　　② 6　　　　③ 7

④ 8　　　　⑤ 9

07

원점을 동시에 출발하여 수직선 위를 움직이는 두 점 P, Q의 시각 t에서의 속도가 각각

$$v_P(t)=3t^2+12t-4, \quad v_Q(t)=6t^2-2t+6$$

일 때, 두 점 P, Q가 출발 후 처음으로 다시 만나는 위치는? [3.7점]

① 21　　　　② 22　　　　③ 23

④ 24　　　　⑤ 25

08

그림은 다항함수 $y=f(x)$의 도함수 $y=f'(x)$의 그래프이다. 〈보기〉에서 옳은 것만을 있는 대로 고른 것은? [3.7점]

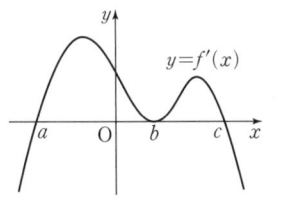

┤ 보기 ├

ㄱ. $f(a)$는 극댓값, $f(c)$는 극솟값이다.

ㄴ. $f(b)=0$이면 방정식 $f(x)=0$은 서로 다른 세 실근을 갖는다.

ㄷ. $f(c)=0$이면 방정식 $f(x)=0$은 중근 1개와 중근이 아닌 실근 1개를 갖는다.

① ㄱ　　　　② ㄱ, ㄴ　　　　③ ㄱ, ㄷ

④ ㄴ, ㄷ　　　　⑤ ㄱ, ㄴ, ㄷ

09

삼차함수 $f(x)$의 극댓값과 극솟값이 각각 5, 1일 때, 방정식 $f(x)-3=k$가 서로 다른 세 실근을 갖기 위한 모든 실수 k의 값의 범위가 $\alpha<k<\beta$일 때, $\alpha\beta$의 값은? [3.7점]

① -4 ② -2 ③ 0

④ 2 ⑤ 4

10

두 함수 $f(x)=5x^3-9x^2+k$, $g(x)=6x^2+2$가 있다. 구간 $[0,\ 3]$에서 부등식 $f(x)\geq g(x)$가 성립하도록 하는 상수 k의 최솟값은? [3.7점]

① 14 ② 16 ③ 18

④ 20 ⑤ 22

11

미분가능한 함수 $y=f(x)$가 임의의 두 실수 $x,\ y$에 대하여
$$f(x+y)=f(x)+f(y)+3xy$$
를 만족시킨다. $f'(0)=0$일 때, $f(2)$의 값은? [3.7점]

① 0 ② 2 ③ 4

④ 6 ⑤ 8

12

함수 $y=f(x)$의 그래프가 그림과 같을 때, 정적분 $\displaystyle\int_{2}^{4}xf(x-2)\,dx$의 값은? [3.7점]

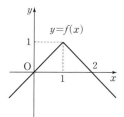

① 1 ② 3

③ 5 ④ 7

⑤ 9

13

그림은 이차함수 $y=f(x)$의 그래프
이다. 함수 $F(x)$를

$$F(x)=\int_x^{x+1}f(t)dt$$

로 정의할 때, 함수 $F(x)$의 최댓값을
나타낸 것은? [4점]

① $F(-1)$　　② $F(0)$　　③ $F(1)$

④ $F(2)$　　⑤ $F(3)$

14

곡선 $y=|x^2-x|$와 직선 $y=2x+4$로 둘러싸인 부분의 넓이
는? [4점]

① $\dfrac{41}{2}$　　② $\dfrac{43}{2}$　　③ $\dfrac{45}{2}$

④ $\dfrac{47}{2}$　　⑤ $\dfrac{49}{2}$

15

$f(0)=0, g(0)=1$인 두 다항함수 $y=f(x)$, $y=g(x)$에 대하여
$\dfrac{d}{dx}\{f(x)+g(x)\}=3$, $\dfrac{d}{dx}\{f(x)g(x)\}=4x+2$일 때,
$f(2)+g(-2)$의 값은? [4점]

① -1　　② 0　　③ 1

④ 2　　⑤ 3

16

함수 $y=f(x)$의 그래프가 그림과 같
다. $(A$의 넓이$)<(B$의 넓이$)$일 때,

$$\int_0^x f(t)dt=0$$

을 만족시키는 x의 개수는? (단, $x>0$)

[4점]

① 0　　② 1　　③ 2

④ 3　　⑤ 4

17

▶ 유튜브 강의

삼차함수 $f(x)=x^3+ax^2+bx+c$가 다음 조건을 만족시킨다.

┤ 보기 ├

(가) $y=f(x)$의 그래프는 점 $(1, 9)$를 지난다.

(나) $f(x)$는 극댓값과 극솟값을 갖는다.

(다) 극값을 갖는 두 점을 이은 직선의 기울기는 -1보다 크다.

a, b, c가 자연수일 때, abc의 최댓값은? [4점]

① 6
② 9
③ 12
④ 15
⑤ 18

18

▶ 유튜브 강의

y절편이 2인 함수 $y=f(x)$의 그래프 위의 임의의 점 $(t, f(t))$에서의 접선의 방정식을 $y=(t+1)x+g(t)$라 할 때, 두 곡선 $y=f(x)$와 $y=g(x)$로 둘러싸인 부분의 넓이는? [4점]

① $\dfrac{1}{3}$
② $\dfrac{1}{4}$
③ $\dfrac{1}{5}$
④ $\dfrac{1}{6}$
⑤ $\dfrac{1}{7}$

※ 다음은 서술형 문제입니다. 서술형 답안지에 풀이 과정과 답을 정확하게 서술하시오.

서술형 주관식

19

다항함수 $y=f(x)$가 모든 실수 x에 대하여

$$\int_0^x f(t)\,dt = -2x^3+6x$$

를 만족시킬 때, $\displaystyle\lim_{h\to 0}\frac{f(1+h)-f(1-h)}{2h}$의 값을 구하시오.

[6점]

20

함수 $f(x)=10x^{10}+9x^9+\cdots+2x^2+x$에 대하여

$$F(x)=\int\left[\frac{d}{dx}\int\left\{\frac{d}{dx}f(x)\right\}dx\right]dx$$

이다. $F(0)=3$일 때, $F(1)$의 값을 구하시오. [6점]

아름다운 샘

21

▶유튜브 강의

삼차함수 $f(x)$에 대하여

$$\lim_{x \to 0} \frac{f(x)-5}{x}=12, \quad \lim_{x \to -2} \frac{f(x)-9}{x+2}=-24$$

가 성립하고 함수 $f(x)$는 $x=\alpha$에서 극댓값, $x=\beta$에서 극솟값을 갖는다고 할 때, $\alpha-\beta$의 값을 구하시오. [6점]

22

함수 $f(x)=|x^2-1|+\displaystyle\int_0^2 f(t)\,dt$에 대하여

$\displaystyle\int_0^1 [\{f(x)\}^2-x^4+6x^2]^2\,dx$의 값을 구하시오. [8점]

23

▶유튜브 강의

이차함수 $f(x)$가 $f(0)=0$이고 다음 조건을 만족시킨다.

(가) $\displaystyle\int_0^2 |f(x)|\,dx=-\int_0^2 f(x)\,dx=8$

(나) $\displaystyle\int_2^5 |f(x)|\,dx=\int_2^5 f(x)\,dx$

$f(10)$의 값을 구하시오. [8점]

수 학 Ⅱ

범위: 평균값 정리 ~ 정적분의 활용

| 대상 | 2학년 | 고사일시 | 20 년 월 일 | 과목코드 | 10 | 시간 | 50분 | 점수 | /100점 |

• 답안지에 필요한 인적 사항을 정확히 기입할 것.
• 객관식 문제의 답안 표기는 OMR카드에 반드시 컴퓨터용 사인펜을 사용하여 기입할 것.
• 주관식 문제의 답안 표기는 반드시 검은색 펜을 사용할 것.

객관식

01

정적분 $\int_0^1 (x^2+x)\,dx + \int_1^0 (x^2-x)\,dx$의 값은? [3.3점]

① 2　　　　② $\dfrac{5}{3}$　　　　③ 1

④ $\dfrac{5}{6}$　　　　⑤ 0

02

점 $(0, 5)$를 지나는 곡선 $y=f(x)$ 위의 점 (x, y)에서의 접선의 기울기가 $2x+1$일 때, $f(-1)$의 값은? [3.3점]

① 1　　　　② 3　　　　③ 5
④ 7　　　　⑤ 9

03

미분가능한 함수 $f(x)$가 $f(x)=\int_2^x (t^2+2)(t-3)\,dt$일 때,

$\displaystyle\lim_{h\to 0} \dfrac{f(1+3h)-f(1)}{h}$의 값은? [3.3점]

① -18　　　　② -9　　　　③ 0

④ 9　　　　⑤ 18

04

함수 $f(x)=x^3+ax^2+ax+3$이 극댓값과 극솟값을 가질 때, 실수 a의 값의 범위는? [3.3점]

① $a<-3$　　　　② $a\le 1$　　　　③ $0<a<3$
④ $-1<a<3$　　　　⑤ $a<0$ 또는 $a>3$

아름다운샘

05

모든 실수 x에 대하여 부등식 $x^4 - 4a^3x + 12 > 0$이 성립하도록 하는 정수 a의 개수는? [3.3점]

① 1　　　　② 2　　　　③ 3

④ 4　　　　⑤ 5

06

함수 $y = f(x)$의 도함수를 $y = f'(x)$라 할 때, 함수 $y = f'(x)$의 그래프는 그림과 같다. $y = f(x)$의 극솟값이 2이고 극댓값이 4일 때, $f(1)$의 값은?

[3.3점]

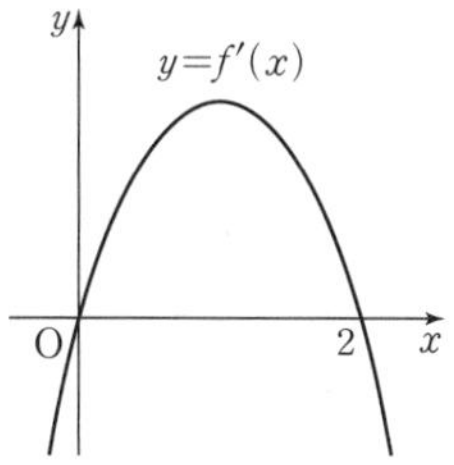

① 1　　　　② 2　　　　③ 3

④ 4　　　　⑤ 5

07

좌표가 15인 점에서 출발하여 수직선 위를 움직이는 점 A의 시각 t에서의 속도는 $v(t) = 2t - 6$이다. 점 A가 원점에서 가장 가까이 있을 때의 점 A의 좌표는? [3.7점]

① 5　　　　② 6　　　　③ 7

④ 8　　　　⑤ 9

08

수직선 위를 움직이는 두 점 P, Q의 시각 t에서의 위치가 각각 $P(t) = t^2 - 4t + 5$, $Q(t) = 2t$이다. 두 점 P, Q가 두 번째로 만날 때, 두 점 P, Q의 속도를 각각 p, q라 하자. 두 상수 p, q에 대하여 $p + q$의 값은? [3.7점]

① 4　　　　② 5　　　　③ 6

④ 7　　　　⑤ 8

09

모든 실수 x에 대하여 미분가능한 함수 $f(x)$가 $\lim_{x\to\infty} f'(x) = 12$ 일 때, $\lim_{x\to\infty}\{f(x+1)-f(x-1)\}$의 값은? [3.7점]

① 24   ② 26   ③ 28

④ 30   ⑤ 32

10

함수 $y=f(x)$는 $x=-1$에서 극댓값 1을 갖는다고 한다. 점 $(-1, 1)$에서 곡선 $y=xf(x)$ 위의 $x=-1$인 점에서의 접선에 이르는 거리는? [3.7점]

① $\dfrac{\sqrt{2}}{2}$ ② $\sqrt{2}$ ③ $\sqrt{3}$

④ $2\sqrt{2}$ ⑤ $2\sqrt{3}$

11

함수 $y=f(x)$의 도함수가 $f'(x)=\begin{cases} 2x+3 & (x \geq -1) \\ k & (x < -1) \end{cases}$ 이고, $f(0)=1$, $f(-2)=4$이다. $y=f(x)$가 $x=-1$에서 연속일 때, $f(-3)$의 값은? (단, k는 상수이다.) [3.7점]

① 10   ② 9   ③ 8

④ 7   ⑤ 6

12

다항함수 $y=f(x)$가 모든 실수 x에 대하여
$$f(x)+f(6-x)=-3x^2+16x$$
를 만족시킬 때, 정적분 $\displaystyle\int_0^6 f(x)\,dx$의 값은? [3.7점]

① 36   ② 39   ③ 42

④ 45   ⑤ 48

13

미분가능한 함수 $f(x)$가

$$\int_1^x (x-t)f(t)dt = x^3 - ax^2 + bx + 4$$

를 만족시킬 때, $a+b$의 값은? (단, a, b는 상수이다.) [4점]

① -9 ② -3 ③ 0

④ 3 ⑤ 9

14

그림과 같이 곡선 $y=|x^2-9|$와 x축으로 둘러싸인 도형의 넓이는? [4점]

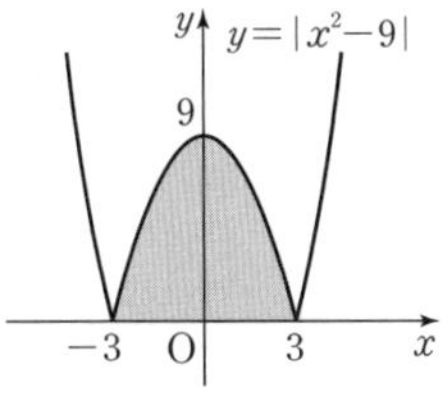

① 12 ② 14

③ 16 ④ 18

⑤ 20

15

곡선 $y=x^3-(2+m)x^2+3mx$와 직선 $y=mx$로 둘러싸인 두 부분의 넓이가 서로 같을 때, 상수 m의 값은? (단, $m>2$) [4점]

① 3 ② 4 ③ 5

④ 6 ⑤ 7

16

▶유튜브 강의

곡선 $y=1-x^2$ 위의 한 점 $(t, 1-t^2)$에서의 접선과 이 곡선 및 y축, 직선 $x=1$로 둘러싸인 부분의 넓이가 $\frac{1}{12}$일 때, t의 값은? (단, $0<t<1$) [4점]

① $\frac{1}{12}$ ② $\frac{1}{6}$ ③ $\frac{1}{4}$

④ $\frac{1}{3}$ ⑤ $\frac{1}{2}$

17

▶ 유튜브 강의

최고차항의 계수가 1인 삼차함수 $f(x)$가 모든 실수 x에 대하여 $f(-x)=-f(x)$를 만족시킨다. 방정식 $|f(x)|=4\sqrt{2}$의 서로 다른 실근의 개수가 4일 때, $f(4)$의 값은? [4점]

① 32　　　　② 34　　　　③ 36

④ 38　　　　⑤ 40

18

▶ 유튜브 강의

최고차항의 계수가 1인 사차함수 $y=f(x)$가 $f(1)=f'(1)=1$을 만족시킨다.

$-1\le n\le 4$인 정수 n에 대하여 함수 $y=g(x)$를
$$g(x)=f(x-n)+n \quad (n\le x<n+1)$$
이라 하자. 함수 $y=g(x)$가 구간 $(-1, 5)$에서 미분가능할 때, $\displaystyle\int_0^4 g(x)\,dx$의 값은? [4점]

① $\dfrac{119}{15}$　　　② 8　　　③ $\dfrac{121}{15}$

④ $\dfrac{122}{15}$　　　⑤ $\dfrac{41}{5}$

※ 다음은 서술형 문제입니다. 서술형 답안지에 풀이 과정과 답을 정확하게 서술하시오.

서술형 주관식

19

함수 $y=f(x)$가 $f(x)=\displaystyle\int \dfrac{x^2}{x-3}\,dx-\int\dfrac{9}{x-3}\,dx$이고 $f(0)=-1$일 때, $f(2)$의 값을 구하시오. [6점]

20

함수 $f(x)=x^3+3x^2+24|x-2a|+3$이 실수 전체의 집합에서 증가하도록 하는 실수 a의 최댓값을 구하시오. [6점]

21

두 다항함수 $f(x)$와 $g(x)$가 모든 실수 x에 대하여

$$g(x) = (x^3 + 2)f(x)$$

를 만족시킨다. $g(x)$가 $x=1$에서 극솟값 30을 가질 때, $2f(1) + f'(1)$의 값을 구하시오. [6점]

22

그림과 같이 지름이 $\overline{AB}=12$인 반원 위의 점 P에서 선분 AB에 내린 수선의 발을 H라 하자. $\triangle APH$를 선분 AB를 축으로 하여 회전시킬 때 생기는 원뿔의 부피의 최댓값을 $\dfrac{8a}{b}\pi$라 할 때, $a+b$의 값을 구하시오. (단, a, b는 서로소인 자연수이다.) [8점]

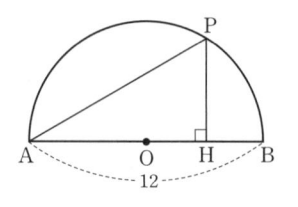

23

두 다항식 $f(x)$, $g(x)$가 다음과 같다.

$$f(x) = 5x^4 + 4x^3 + \int_{-1}^{1}(3x^2 - t)f(t)\,dt$$

$$g(x) = x + \lim_{x \to 1}\frac{1}{x-1}\int_{1}^{x}f(t)\,dt$$

$g(4)$의 값을 구하시오. [8점]

• 답안지에 필요한 인적 사항을 정확히 기입할 것.
• 객관식 문제의 답안 표기는 OMR카드에 반드시 컴퓨터용 사인펜을 사용하여 기입할 것.
• 주관식 문제의 답안 표기는 반드시 검은색 펜을 사용할 것.

객관식

01

함수 $f(x)=x^3-ax^2$에 대하여 x의 값이 -1에서 1까지 변할 때의 평균변화율과 $x=b$에서의 미분계수가 서로 같은 b의 값들의 합이 4이다. 상수 a의 값은? [4점]

① 5   ② 6   ③ 7
④ 8   ⑤ 9

02

미분가능한 함수 $f(x)$에 대하여 $f'(1)=6$일 때,
$\lim\limits_{h\to 0}\dfrac{f(1+2h)-f(1)}{3h}$의 값은? [4점]

① 2   ② 4   ③ 6
④ 8   ⑤ 10

03

다항함수 $f(x)$에 대하여 $f'(1)=6$일 때, $\lim\limits_{x\to 1}\dfrac{f(x^3)-f(1)}{x-1}$
의 값은? [4점]

① 12   ② 14   ③ 16
④ 18   ⑤ 20

04

다항함수 $f(x)$에 대하여 $f(1)=4$, $f'(1)=2$일 때,
$\lim\limits_{x\to 1}\dfrac{x^2 f(1)-f(x^2)}{x-1}$의 값은? [4점]

① -4 ② -2 ③ 0
④ 2   ⑤ 4

05

미분가능한 함수 $f(x)$가 모든 실수 x, y에 대하여

$$f(x+y)=f(x)+f(y)+2xy-1$$

을 만족시키고 $f'(2)=6$일 때, $f'(0)$의 값은? [5점]

① 0   ② 1   ③ 2

④ 3   ⑤ 4

06

▶ 유튜브 강의

함수 $f(x)=ax^2+bx$가 다음 두 조건을 만족할 때, 두 상수 a, b에 대하여 a^2+b^2의 값은? [5점]

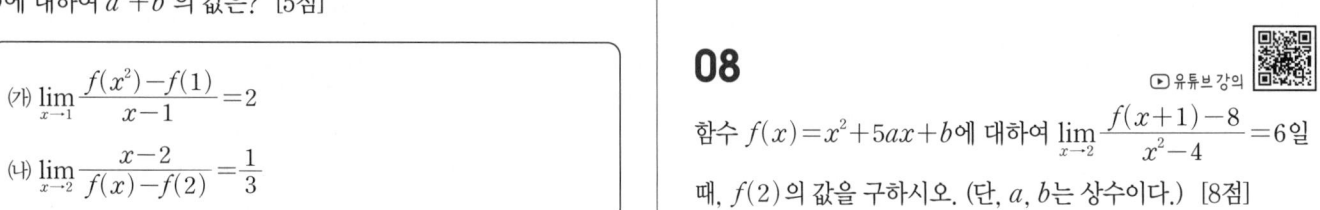

(가) $\displaystyle\lim_{x \to 1}\frac{f(x^2)-f(1)}{x-1}=2$

(나) $\displaystyle\lim_{x \to 2}\frac{x-2}{f(x)-f(2)}=\frac{1}{3}$

① 2   ② 3   ③ 4

④ 5   ⑤ 6

※ 다음은 서술형 문제입니다. 서술형 답안지에 풀이 과정과 답을 정확하게 서술하시오.

서술형 주관식

07

함수 $f(x)=x^{10}+ax^2+bx+a$가

$$f(-1)=8, \lim_{x \to 1}\frac{f(x)-f(1)}{x^3-1}=\frac{11}{3}$$

을 만족할 때, 두 상수 a, b의 합 $a+b$의 값을 구하시오. [6점]

08

▶ 유튜브 강의

함수 $f(x)=x^2+5ax+b$에 대하여 $\displaystyle\lim_{x \to 2}\frac{f(x+1)-8}{x^2-4}=6$일 때, $f(2)$의 값을 구하시오. (단, a, b는 상수이다.) [8점]

- 답안지에 필요한 인적 사항을 정확히 기입할 것.
- 객관식 문제의 답안 표기는 OMR카드에 반드시 컴퓨터용 사인펜을 사용하여 기입할 것.
- 주관식 문제의 답안 표기는 반드시 검은색 펜을 사용할 것.

객관식

01

두 다항함수 $f(x), g(x)$가 $f(x)=(x^2+1)g(x)$를 만족한다. $f'(1)=10, g(1)=2$일 때, $g'(1)$의 값은? [4점]

① -1 ② 1 ③ 3

④ 5 ⑤ 7

02

함수 $f(x)=x^4-2x^3+4$에 대하여 $g(x)=xf(x)$라 할 때,

$\lim\limits_{h\to 0}\dfrac{f(1+h)-g(1-h)}{3h}$의 값은? [4점]

① $-\dfrac{1}{2}$ ② $-\dfrac{1}{3}$ ③ 0

④ $\dfrac{1}{3}$ ⑤ $\dfrac{1}{2}$

03

함수 $f(x)=(x^2+x+1)(ax+b)$가

$$\lim\limits_{x\to 1}\frac{f(x)-f(1)}{x-1}=3, \lim\limits_{x\to 2}\frac{x^3-8}{f(x)-f(2)}=1$$

을 만족할 때, $f'(3)$의 값은? [4점]

① 23   ② 24   ③ 25

④ 26   ⑤ 27

04

곡선 $y=(2x+1)^3(x^2+a)$ 위의 $x=-1$인 점에서의 접선의 기울기가 -16일 때, 상수 a의 값은? [4점]

① -1 ② -2 ③ -3

④ -4 ⑤ -5

아름다운샘

05

함수

$$f(x)=\begin{cases} x^3+ax^2+3x & (x\geq 1) \\ 2x^2+b & (x<1) \end{cases}$$

가 모든 실수 x에서 미분가능하도록 두 상수 a, b를 정할 때, ab의 값은? [5점]

① -1 ② -2 ③ -3

④ -4 ⑤ -5

06

최고차항의 계수가 1이 아닌 다항함수 $f(x)$가 다음 조건을 만족시킬 때, $f'(1)$의 값은? [5점]

▶ 유튜브 강의

(가) $\lim\limits_{x\to\infty} \dfrac{\{f(x)\}^2 - f(x^2)}{x^3 f(x)} = 4$

(나) $\lim\limits_{x\to 0} \dfrac{f'(x)}{x} = 4$

① 15   ② 16   ③ 17

④ 18   ⑤ 19

※ 다음은 서술형 문제입니다. 서술형 답안지에 풀이 과정과 답을 정확하게 서술하시오.

서술형 주관식

07

두 함수 $f(x)=|x-3|+3$, $g(x)=ax^2+1$에 대하여 함수 $y=f(x)g(x)$가 실수 전체의 집합에서 미분가능할 때, 상수 a의 값을 구하시오. [6점]

08

▶ 유튜브 강의

다항식 x^3-2ax^2+bx-1을 $(x-1)^2$으로 나눈 나머지가 $2x-1$일 때, 다항식 $3x^2-4ax+b$를 $x-1$로 나눈 나머지를 구하시오. (단, a, b는 상수이다.) [8점]

• 답안지에 필요한 인적 사항을 정확히 기입할 것.
• 객관식 문제의 답안 표기는 OMR카드에 반드시 컴퓨터용 사인펜을 사용하여 기입할 것.
• 주관식 문제의 답안 표기는 반드시 검은색 펜을 사용할 것.

객관식

01

곡선 $y=\dfrac{1}{3}x^3+ax+b$ 위의 점 $(1, 1)$에서의 접선이

점 $(-2, 7)$을 지날 때, $2a+3b$의 값은? (단, a, b는 상수이다.)

[4점]

① -3　　　　② -1　　　　③ 3

④ 5　　　　⑤ 11

02

곡선 $y=x^2-3x+1$ 위의 점 $(2, -1)$을 지나고, 이 점에서의 접선에 수직인 직선의 방정식을 $y=ax+b$라 하자. 두 상수 a, b에 대하여 ab의 값은? [4점]

① -3　　　　② -2　　　　③ -1

④ 0　　　　⑤ 1

03

곡선 $y=x^3-x+2$의 접선 중에서 직선 $y=2x+3$과 평행한 접선은 2개이다. 이 두 접선 사이의 거리는? [4점]

① $\dfrac{\sqrt{5}}{5}$　　　　② $\dfrac{2\sqrt{5}}{5}$　　　　③ $\dfrac{4\sqrt{5}}{5}$

④ $\dfrac{2\sqrt{3}}{3}$　　　　⑤ $\dfrac{4\sqrt{3}}{3}$

04

점 $(1, -1)$에서 곡선 $y=x^2-x$에 그은 두 접선의 기울기의 곱은? [4점]

① -3　　　　② -2　　　　③ -1

④ 2　　　　⑤ 3

05

▶유튜브 강의

곡선 $y=x^2+1$ 위의 점 $(-2, 5)$에서의 접선이 곡선 $y=x^3+ax-1$에 접할 때, 상수 a의 값은? [5점]

① -9 ② -7 ③ -5

④ -3 ⑤ -1

06

두 곡선 $y=-x^3+4$, $y=x^2+ax+b$가 점 $(1, 3)$에서 공통접선을 가질 때, 두 상수 a, b에 대하여 ab의 값은? [5점]

① -27 ② -29 ③ -31

④ -33 ⑤ -35

※ 다음은 서술형 문제입니다. 서술형 답안지에 풀이 과정과 답을 정확하게 서술하시오.

서술형 주관식

07

두 곡선 $f(x)=3x^3+ax$, $g(x)=bx^2-a$가 $x=1$인 점에서 서로 접할 때, 두 상수 a, b에 대하여 $a+b$의 값을 구하시오.

[6점]

08

▶유튜브 강의

그림과 같이 점 $A(2, -2)$에서 곡선 $y=x^2+3$에 그은 두 접선의 접점을 각각 B, C라 할 때, 삼각형 ABC의 넓이를 구하시오. [8점]

[부록 4회] 접선의 방정식

대상	2학년	고사일시	20 년 월 일	과목코드	04	시간	20분	점수	/40점

- 답안지에 필요한 인적 사항을 정확히 기입할 것.
- 객관식 문제의 답안 표기는 OMR카드에 반드시 컴퓨터용 사인펜을 사용하여 기입할 것.
- 주관식 문제의 답안 표기는 반드시 검은색 펜을 사용할 것.

객관식

01

곡선 $y=2x^2+ax+b$가 점 $(1, 2)$를 지나고, 이 점에서의 접선의 기울기가 3일 때, 두 상수 a, b에 대하여 $a-b$의 값은? [4점]

① -3 ② -2 ③ -1

④ 1 ⑤ 2

02

점 $\mathrm{A}(0, 3)$에서 곡선 $y=x^3-3x^2+2$에 두 개의 접선을 그을 때, 두 접점 사이의 거리는? [4점]

① $\dfrac{7}{8}$ ② $\dfrac{9}{8}$ ③ $\dfrac{11}{8}$

④ $\dfrac{13}{8}$ ⑤ $\dfrac{15}{8}$

03

두 곡선 $y=x^2-2$, $y=x^3-ax-1$이 오직 한 점에서 접할 때, 상수 a의 값은? [4점]

① 1 ② 2 ③ 3

④ 4 ⑤ 5

04

두 곡선 $y=2x^3-1$, $y=3x^2-2$가 $x=a$인 점에서 공통인 접선을 가질 때, 그 공통인 접선의 방정식을 $y=mx+n$이라 하자. 두 상수 m, n에 대하여 $m+n$의 값은? [4점]

① 0 ② 1 ③ 2

④ 3 ⑤ 4

05

두 곡선 $f(x)=x^3+ax^2+bx$, $g(x)=x^2+cx$가 점 $(1, 0)$에서 접할 때, $f(-1)+g(3)$의 값은? (단, a, b, c는 상수이다.)
[5점]

① -4 ② -2 ③ 1

④ 2 ⑤ 4

06

그림과 같이 곡선 $y=x^3-2x+1$ 위의 점 $P(1, 0)$에서의 접선이 곡선과 다시 만나는 점을 Q라 할 때, 삼각형 OPQ의 넓이는?

(단, O는 원점이다.) [5점]

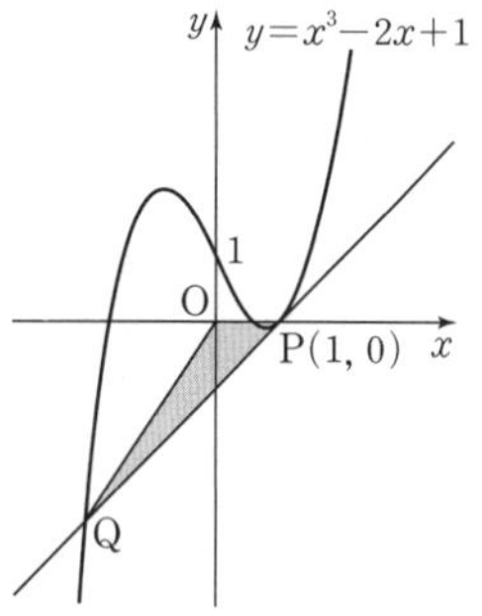

① $\dfrac{1}{2}$ ② 1

③ $\dfrac{3}{2}$ ④ 2

⑤ $\dfrac{5}{2}$

※ 다음은 서술형 문제입니다. 서술형 답안지에 풀이 과정과 답을 정확하게 서술하시오.

서술형 주관식

07

▶유튜브 강의

두 다항함수 $f(x)$, $g(x)$가 다음 조건을 만족시킨다.

> (가) $g(x)=x^3f(x)-7$
> (나) $\displaystyle\lim_{x\to2}\dfrac{f(x)-g(x)}{x-2}=2$

곡선 $y=g(x)$ 위의 점 $(2, g(2))$에서의 접선의 방정식을 구하시오. [6점]

08

▶유튜브 강의

양수 k에 대하여 곡선 $f(x)=x^2-2kx+k^2-1$이 y축과 만나는 점을 P, 직선 $x=2k$와 만나는 점을 Q라 하자. 두 점 P, Q에서 이 곡선에 그은 두 접선이 x축과 만나는 점을 각각 A, B라 할 때, 선분 AB의 길이의 최솟값을 구하시오. [8점]

내신 FINAL

고2 수학Ⅱ

정답 및 해설

20○○학년도 2학년 기말고사(1회)

01 ③	02 ④	03 ②	04 ②	05 ③
06 ⑤	07 ④	08 ⑤	09 ④	10 ③
11 ④	12 ①	13 ①	14 ④	15 ②
16 ⑤	17 ③	18 ①	19 28	20 25
21 6	22 5	23 −4		

01 $\int_0^3 (x^2-3x)dx=\left[\dfrac{1}{3}x^3-\dfrac{3}{2}x^2\right]_0^3$

$\qquad\qquad\qquad =9-\dfrac{27}{2}=-\dfrac{9}{2}$

02 $f(x)=x^3-3x+2$에서

$f'(x)=3x^2-3=3(x+1)(x-1)$

$f'(x)=0$에서 $x=-1$ 또는 $x=1$

함수 $f(x)$의 증가, 감소를 표로 나타내면 다음과 같다.

x	⋯	-1	⋯	1	⋯
$f'(x)$	$+$	0	$-$	0	$+$
$f(x)$	↗	극대	↘	극소	↗

함수 $f(x)$는 $x=-1$일 때 극대이고 극댓값은 $f(-1)=4$,

$x=1$일 때 극소이고 극솟값은 $f(1)=0$이므로

$M=4,\ m=0$

$\therefore M+m=4$

03 함수 $f(x)=x^2-3x-1$은 닫힌구간 $[1,\ k]$에서 평균값 정리를 만족시키는 실수 3이 존재하므로

$\dfrac{f(k)-f(1)}{k-1}=\dfrac{k^2-3k-1-(-3)}{k-1}=\dfrac{(k-1)(k-2)}{k-1}$

$\qquad\qquad\qquad =k-2\ (\because k>3)$

$\qquad\qquad\qquad =f'(3)$

$f'(x)=2x-3$이므로 $f'(3)=3$

즉, $k-2=3$이므로 $k=5$

04 $v(t)=3t-3t^2=0$에서 $t(1-t)=0$

$\therefore t=0$ 또는 $t=1$

따라서 점 P는 출발한지 1초 후에 운동 방향을 바꾸므로 구하는 거리는

$\int_0^4 |3t-3t^2|dt=\int_0^1 (3t-3t^2)dt+\int_1^4 (3t^2-3t)dt$

$\qquad\qquad\qquad =\left[\dfrac{3}{2}t^2-t^3\right]_0^1+\left[t^3-\dfrac{3}{2}t^2\right]_1^4$

$\qquad\qquad\qquad =\dfrac{1}{2}+\dfrac{81}{2}$

$\qquad\qquad\qquad =41$

05 임의의 두 실수 $x_1,\ x_2$에 대하여 $x_1<x_2$일 때, $f(x_1)>f(x_2)$이면 $y=f(x)$는 구간 $(-\infty,\ \infty)$에서 감소하므로 모든 실수 x에 대하여 $f'(x)\leq 0$이어야 한다.

$f(x)=-2x^3+ax^2-6x-1$에서

$f'(x)=-6x^2+2ax-6$

이차방정식 $f'(x)=0$의 판별식을 D라 하면

$\dfrac{D}{4}=a^2-36\leq 0,\ (a+6)(a-6)\leq 0$

$\therefore -6\leq a\leq 6$

따라서 상수 a의 최댓값은 6이다.

> **핵심 포인트**
>
> 삼차함수가 항상 증가(감소)할 조건
> 삼차함수 $f(x)=ax^3+bx^2+cx+d$가 모든 실수에서
> (1) 증가할 조건 ➡ $a>0$, $f'(x)=0$의 판별식 $D\leq 0$
> (2) 감소할 조건 ➡ $a<0$, $f'(x)=0$의 판별식 $D\leq 0$

06 $\int_0^1 (x+k)^2 dx-\int_0^1 (x-k)^2 dx$

$\qquad =\int_0^1 \{(x+k)^2-(x-k)^2\}dx$

$\qquad =\int_0^1 4kx\,dx$

$\qquad =\left[2kx^2\right]_0^1=2k$

즉, $2k=20$에서

$k=10$

07 $2x^3-3x^2-12x+a=0$에서

$2x^3-3x^2-12x=-a$

$f(x)=2x^3-3x^2-12x$로 놓으면

$f'(x)=6x^2-6x-12$

$\qquad\quad =6(x^2-x-2)$

$\qquad\quad =6(x+1)(x-2)$

$f'(x)=0$에서 $x=-1$ 또는 $x=2$

함수 $f(x)$의 증가, 감소를 표로 나타내면 다음과 같다.

x	⋯	-1	⋯	2	⋯
$f'(x)$	$+$	0	$-$	0	$+$
$f(x)$	↗	7	↘	-20	↗

따라서 함수 $y=f(x)$의 그래프와 직선 $y=-a$의 교점의 x좌표가 두 개는 양수이고, 한 개는 음수가 되는 $-a$의 값의 범위는

$-20<-a<0 \qquad \therefore 0<a<20$

따라서 정수 a의 최댓값은 19이다.

08 $4x^3-6x^2-24x-k=0$에서

$4x^3-6x^2-24x=k \qquad\cdots\cdots\ ㉠$

$f(x)=4x^3-6x^2-24x$로 놓으면

$f'(x)=12x^2-12x-24=12(x+1)(x-2)$

$f'(x)=0$에서 $x=-1$ 또는 $x=2$

함수 $f(x)$의 증가, 감소를 표로 나타내면 다음과 같다.

x	$\cdots$	-1	$\cdots$	2	$\cdots$
$f'(x)$	$+$	0	$-$	0	$+$
$f(x)$	↗	14	↘	-40	↗

따라서 함수 $f(x)$의 그래프는 다음과 같다.

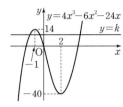

방정식 ㉠의 서로 다른 실근의 개수는 곡선 $y=4x^3-6x^2-24x$ 와 직선 $y=k$의 교점의 개수와 같으므로 $k=14$ 또는 $k=-40$이면 서로 다른 두 실근을 갖는다.
따라서 모든 실수 k의 값의 차는
$14-(-40)=54$

> **핵심 포인트**
>
> 방정식 $f(x)=k$의 실근의 개수
> 방정식 $f(x)=k$의 서로 다른 실근의 개수는 함수 $y=f(x)$의 그래프와 직선 $y=k$의 교점의 개수와 같다.

09 $y=x^3-3$에서 $y'=3x^2$이므로 곡선 $y=x^3-3$ 위의 점 $(-1, -4)$에서 접선의 기울기는 3이다.
즉, 접선의 방정식은
$y+4=3(x+1)$
$\therefore y=3x-1$
곡선 $y=x^3-3$과 직선 $y=3x-1$의 교점의 x좌표는
$x^3-3=3x-1$에서 $x^3-3x-2=0$
$(x+1)^2(x-2)=0$
$\therefore x=-1$ 또는 $x=2$
따라서 구하는 넓이는

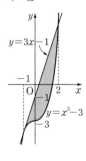

$\displaystyle\int_{-1}^{2}\{(3x-1)-(x^3-3)\}dx$
$\displaystyle=\int_{-1}^{2}(-x^3+3x+2)dx$
$\displaystyle=\left[-\frac{1}{4}x^4+\frac{3}{2}x^2+2x\right]_{-1}^{2}$
$\displaystyle=\frac{27}{4}$

10 $(x-1)f(x)-F(x)=x^3-x^2-x$의 양변을 x에 대하여 미분하면
$f(x)+(x-1)f'(x)-f(x)=3x^2-2x-1$
$(x-1)f'(x)=(3x+1)(x-1)$
즉, $f'(x)=3x+1$이므로
$\displaystyle f(x)=\int(3x+1)\,dx=\frac{3}{2}x^2+x+C$
$f(1)=3$이므로 $\dfrac{3}{2}+1+C=3$에서 $C=\dfrac{1}{2}$
따라서 $f(x)=\dfrac{3}{2}x^2+x+\dfrac{1}{2}$이므로

$f(5)=\dfrac{75}{2}+5+\dfrac{1}{2}=43$

11 $f(x)=x^3+ax^2+bx-2$에서
$f'(x)=3x^2+2ax+b$
주어진 그래프에서 $f'(x)=0$, 즉 $3x^2+2ax+b=0$의 두 근이 $x=2$ 또는 $x=4$이므로 근과 계수의 관계에 의하여
$2+4=-\dfrac{2a}{3}$에서 $a=-9$
$2\times4=\dfrac{b}{3}$에서 $b=24$
$\therefore f(x)=x^3-9x^2+24x-2$
$f'(x)=3x^2-18x+24=3(x-2)(x-4)$
구간 $[1, 4]$에서 함수 $f(x)$의 증가, 감소를 표로 나타내면 다음과 같다.

x	1	$\cdots$	2	$\cdots$	4
$f'(x)$		$+$	0	$-$	0
$f(x)$	14	↗	18	↘	14

따라서 함수 $f(x)$의 최댓값은 18, 최솟값은 14이므로 최댓값과 최솟값의 합은 32이다.

12 $f(x)=\displaystyle\int a(x^2-4)dx$
$\qquad=a\left(\dfrac{1}{3}x^3-4x\right)+C$
$f'(x)=a(x+2)(x-2)=0$에서 $x=-2$ 또는 $x=2$

x	$\cdots$	-2	$\cdots$	2	$\cdots$
$f'(x)$	$+$	0	$-$	0	$+$
$f(x)$	↗	극대	↘	극소	↗

즉, $f(x)$는 $x=-2$에서 극대, $x=2$에서 극소이다.
$f(-2)=42$에서 $a\left(-\dfrac{8}{3}+8\right)+C=42$
$\therefore \dfrac{16}{3}a+C=42 \qquad \cdots\cdots ㉠$
$f(2)=-22$에서 $a\left(\dfrac{8}{3}-8\right)+C=-22$
$\therefore -\dfrac{16}{3}a+C=-22 \qquad \cdots\cdots ㉡$
㉠, ㉡을 연립하여 풀면 $C=10$, $a=6$
$\therefore f(x)=2x^3-24x+10$
$\therefore f(3)=54-72+10=-8$

13 점 P의 시각 t에서의 속도를 v라 하면
$v=\dfrac{dx}{dt}=6t^2-30t+36=6(t-2)(t-3)$

ㄱ. 5초 후의 속도는 $6(5-2)(5-3)=36$ (참)
ㄴ. $t=2$, $t=3$의 좌우에서 속도의 부호가 바뀌므로 처음 출발 후 운동 방향을 두 번 바꾼다. (거짓)
ㄷ. 원점을 지날 때 위치는 0이므로
$2t^3-15t^2+36t=0$에서 $t(2t^2-15t+36)=0$
$\therefore t=0$ ($\because 2t^2-15t+36>0$)
즉, 처음 원점에서 출발하고 다시 원점을 지나지 않는다. (거짓)
따라서 옳은 것은 ㄱ뿐이다.

14 $f(x)=\int_0^x (t^2+at+b)dt$의 양변을 x에 대하여 미분하면

$f'(x)=x^2+ax+b$

$x=3$에서 극솟값 -9를 가지므로

$f'(3)=9+3a+b=0$

$\therefore 3a+b=-9$ ……㉠

$f(3)=\int_0^3 (t^2+at+b)dt$

$\quad =\left[\dfrac{1}{3}t^3+\dfrac{a}{2}t^2+bt\right]_0^3$

$\quad =9+\dfrac{9}{2}a+3b=-9$

$\therefore \dfrac{9}{2}a+3b=-18$ ……㉡

㉠, ㉡을 연립하여 풀면 $a=-2$, $b=-3$

$\therefore f'(x)=x^2-2x-3=(x+1)(x-3)$

$f'(x)=0$에서 $x=-1$ 또는 $x=3$

즉, $x=-1$일 때 극댓값을 가지므로

$f(-1)=\int_0^{-1}(t^2-2t-3)dt$

$\quad =-\int_{-1}^0 (t^2-2t-3)dt$

$\quad =-\left[\dfrac{1}{3}t^3-t^2-3t\right]_{-1}^0=\dfrac{5}{3}$

15 $f(x)=\begin{cases} x+1 & (x<1) \\ -2x+4 & (x\geq 1) \end{cases}$ 이므로

$f(x-1)=\begin{cases} x & (x<2) \\ -2x+6 & (x\geq 2) \end{cases}$

$\therefore \int_0^3 f(x-1)dx=\int_0^2 x\,dx+\int_2^3 (-2x+6)dx$

$\quad =\left[\dfrac{1}{2}x^2\right]_0^2+\left[-x^2+6x\right]_2^3$

$\quad =2+1$

$\quad =3$

16 $-x^3+x-k=0$의 근 중에서 가장 큰 값을 α라 하면

$-\alpha^3+\alpha-k=0$

$\therefore k=\alpha-\alpha^3$ ……㉠

$A=B$이므로

$\int_0^\alpha (-x^3+x-k)dx=\left[-\dfrac{1}{4}x^4+\dfrac{1}{2}x^2-kx\right]_0^\alpha$

$\quad =-\dfrac{1}{4}\alpha^4+\dfrac{1}{2}\alpha^2-k\alpha=0$

$\alpha>0$이므로 $\alpha^3-2\alpha+4k=0$ ……㉡

㉠을 ㉡에 대입하여 정리하면

$3\alpha^3-2\alpha=0$, $\alpha(3\alpha^2-2)=0$

$\therefore \alpha=\sqrt{\dfrac{2}{3}}=\dfrac{\sqrt{6}}{3}$ $(\because \alpha>0)$

이것을 ㉠에 대입하면

$k=\dfrac{\sqrt{6}}{3}-\dfrac{6\sqrt{6}}{27}=\dfrac{\sqrt{6}}{9}$

$\therefore 81k^2=81\times\dfrac{6}{81}=6$

17 $f(x)=x^3-3a^2x+2$라 하면

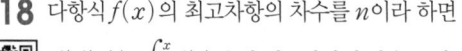

$f'(x)=3x^2-3a^2=3(x+a)(x-a)$

$f'(x)=0$에서 $x=-a$ 또는 $x=a$

(i) $a>0$인 경우

$x\geq 0$에서 함수 $y=f(x)$의 증가, 감소를 표로 나타내면 다음과 같다.

x	0	$\cdots$	a	$\cdots$
$f'(x)$		$-$	0	$+$
$f(x)$		$\searrow$	a^3-3a^3+2	$\nearrow$

$x\geq 0$에서 함수 $y=f(x)$는 $x=a$에서 최솟값을 가지므로

$f(a)=a^3-3a^3+2$

$\quad =-2a^3+2$

$\quad =-2(a^3-1)\geq 0$

$(a-1)(a^2+a+1)\leq 0$

$\therefore 0<a\leq 1$ $(\because a^2+a+1>0)$

(ii) $a=0$인 경우

$f(x)=x^3+2$이므로 $x\geq 0$에서 $f(x)\geq 0$이 성립한다.

(iii) $a<0$인 경우

$x\geq 0$에서 함수 $y=f(x)$의 증가, 감소를 표로 나타내면 다음과 같다.

x	0	$\cdots$	$-a$	$\cdots$
$f'(x)$		$-$	0	$+$
$f(x)$		$\searrow$	$-a^3+3a^3+2$	$\nearrow$

$x\geq 0$에서 함수 $y=f(x)$는 $x=-a$에서 최솟값을 가지므로

$f(-a)=-a^3+3a^3+2$

$\quad =2a^3+2$

$\quad =2(a^3+1)\geq 0$

$(a+1)(a^2-a+1)\geq 0$

$\therefore -1\leq a<0$ $(\because a^2-a+1>0)$

(i), (ii), (iii)에서 $-1\leq a\leq 1$, 즉 $\alpha=-1$, $\beta=1$이므로

$\alpha+\beta=0$

18 다항식 $f(x)$의 최고차항의 차수를 n이라 하면

$f(f(x))$, $\int_0^x f(t)dt$의 최고차항의 차수는 각각 n^2, $n+1$이다.

이때, $n\geq 2$이면 $n^2>n+1$이므로 주어진 등식의 좌변의 차수가 우변의 차수보다 크게 되어 모순이다.

즉, $n=1$이므로 $f(x)=ax+b$ $(a, b$는 상수$)$로 놓으면

$f(f(x))=\int_0^x f(t)dt-x^2+3x+3$에서

$a(ax+b)+b=\int_0^x (at+b)dt-x^2+3x+3$

$\quad =\left[\dfrac{a}{2}t^2+bt\right]_0^x-x^2+3x+3$

$\quad =\dfrac{a}{2}x^2+bx-x^2+3x+3$

$\therefore a^2x+ab+b=\left(\dfrac{a}{2}-1\right)x^2+(b+3)x+3$

양변의 계수를 비교하면

$\dfrac{a}{2}-1=0$, $a^2=b+3$, $ab+b=3$

$\therefore a=2, b=1$

따라서 다항식 $f(x)$의 계수의 합은

$a+b=2+1=3$

19 $\lim_{h \to 0} \dfrac{f(1+2h)-f(1-2h)}{h}$

$=\lim_{h \to 0} \dfrac{f(1+2h)-f(1)-\{f(1-2h)-f(1)\}}{h}$

$=\lim_{h \to 0} \dfrac{f(1+2h)-f(1)}{2h} \times 2 + \lim_{h \to 0} \dfrac{f(1-2h)-f(1)}{-2h} \times 2$

$=2f'(1)+2f'(1)=4f'(1)$ ······㉮

$f(x)=\displaystyle\int (x^3+2x^2+4)\,dx$의 양변을 x에 대하여 미분하면

$f'(x)=\dfrac{d}{dx}\left\{ \displaystyle\int (x^3+2x^2+4)\,dx \right\}$

$\qquad = x^3+2x^2+4$

$\therefore f'(1)=7$ ······㉯

따라서 구하는 값은 $4f'(1)=4 \times 7=28$ ······㉰

채점 기준	배점
㉮ 식 정리하기	2점
㉯ $f'(1)=7$ 구하기	2점
㉰ 답 구하기	2점

20 $x=25+at+bt^2$에서 t초 후의 물체의 속도를 v라 하면

$v=\dfrac{dx}{dt}=a+2bt$ ······㉮

물체가 최고 높이에 도달할 때의 속도는 0이므로

$t=3$일 때, $a+6b=0$ ······㉠

또 $t=3$일 때, $x=70$이므로

$25+3a+9b=70$

$\therefore a+3b=15$ ······㉡

㉠, ㉡을 연립하여 풀면 $a=30, b=-5$ ······㉯

$\therefore a+b=25$ ······㉰

채점 기준	배점
㉮ $v=a+2bt$ 구하기	2점
㉯ $a=30, b=-5$ 구하기	2점
㉰ 답 구하기	2점

21 $f(-x)=-f(x)$에서 함수 $y=f(x)$는 기함수이므로

함수 $y=x^2 f(x)$는 기함수, 함수 $y=xf(x)$는 우함수이다.

······㉮

$\therefore \displaystyle\int_{-2}^{2} (x^2+2x-6)f(x)\,dx$

$=\displaystyle\int_{-2}^{2} x^2 f(x)\,dx + 2\int_{-2}^{2} xf(x)\,dx - 6\int_{-2}^{2} f(x)\,dx$

$=2\displaystyle\int_{-2}^{2} xf(x)\,dx = 4\int_{0}^{2} xf(x)\,dx$

$=4 \times \dfrac{3}{2}=6$ ······㉯

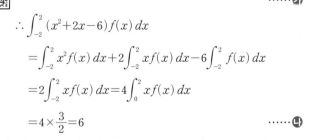

채점 기준	배점
㉮ 기함수, 우함수 판단하기	3점
㉯ 답 구하기	3점

22 두 곡선 $y=f(x)$, $y=g(x)$의 교점의 x좌표는 곡선 $y=f(x)$와 직선 $y=x$의 교점의 x좌표와 같으므로

$x^n=x$에서 $x(x^{n-1}-1)=0$

$\therefore x=0$ 또는 $x=1$ ······㉮

S_n은 곡선 $y=f(x)$와 직선 $y=x$로 둘러싸인 부분의 넓이의 2배이므로

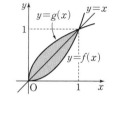

$S_n=2\displaystyle\int_{0}^{1} (x-x^n)\,dx$

$\quad = 2\left[\dfrac{1}{2}x^2 - \dfrac{1}{n+1}x^{n+1} \right]_0^1$

$\quad = 2\left(\dfrac{1}{2} - \dfrac{1}{n+1} \right) = \dfrac{2}{3}$

즉, $1-\dfrac{2}{n+1}=\dfrac{2}{3}$ ······㉯

$\dfrac{2}{n+1}=\dfrac{1}{3}$, $n+1=6$

$\therefore n=5$ ······㉰

채점 기준	배점
㉮ $x=0$ 또는 $x=1$ 구하기	3점
㉯ S_n에 대한 식 세우고 정리하기	3점
㉰ 답 구하기	2점

23 $f(x-y)=f(x)-f(y)+xy(x-y)$의 양변에 $x=0, y=0$을 대입하면

$f(0)=f(0)-f(0)$

$\therefore f(0)=0$ ······㉮

$f'(0)=4$이므로

$f'(0)=\lim_{h \to 0} \dfrac{f(h)-f(0)}{h-0} = \lim_{h \to 0} \dfrac{f(h)}{h}=4$

$\therefore f'(x)=\lim_{h \to 0} \dfrac{f(x+h)-f(x)}{h}$

$\quad = \lim_{h \to 0} \dfrac{f(x)-f(-h)+x \times (-h)(x+h)-f(x)}{h}$

$\quad = \lim_{h \to 0} \left\{ \dfrac{f(-h)}{-h} - x^2 - hx \right\}$

$\quad = 4-x^2$

$\quad = (2-x)(2+x)$

$f'(x)=0$에서 $x=-2$ 또는 $x=2$ ······㉯

x	$\cdots$	-2	$\cdots$	2	$\cdots$
$f'(x)$	$-$	0	$+$	0	$-$
$f(x)$	↘	극소	↗	극대	↘

따라서 $x=2$에서 극대, $x=-2$에서 극소이므로

$\alpha=2, \beta=-2$

$\therefore \alpha\beta=2 \times (-2)=-4$ ······㉰

채점 기준	배점
㉮ $f(0)=0$ 구하기	3점
㉯ $x=-2$ 또는 $x=2$ 구하기	3점
㉰ 답 구하기	2점

20○○학년도 2학년 기말고사(2회)				
01 ④	02 ④	03 ②	04 ①	05 ②
06 ③	07 ⑤	08 ④	09 ①	10 ③
11 ③	12 ②	13 ⑤	14 ①	15 ④
16 ②	17 ⑤	18 ②	19 13	20 −6
21 풀이 참조		22 $a \leq 2$		23 4

01 함수 $f(x)=x^2-6x$는 닫힌구간 $[2, 4]$에서 연속이고 열린구간 $(2, 4)$에서 미분가능하며 $f(2)=f(4)=-8$이므로 롤의 정리에 의하여 $f'(c)=0$인 c가 열린구간 $(2, 4)$에 적어도 하나 존재한다.

$f'(x)=2x-6$이므로 $f'(c)=2c-6=0$

$\therefore c=3$

> **핵심 포인트**
>
> 롤의 정리
>
> 함수 $y=f(x)$가 닫힌구간 $[a, b]$에서 연속이고 열린구간 (a, b)에서 미분가능할 때, $f(a)=f(b)$이면
> $$f'(c)=0$$
> 인 c가 a와 b 사이에 적어도 하나 존재한다.

02 $f(x)=2x^3-3ax^2+6ax$에서

$f'(x)=6x^2-6ax+6a$

함수 $y=f(x)$가 일대일대응이 되려면 실수 전체의 집합에서 증가해야 한다.

즉, 모든 실수 x에 대하여 $f'(x) \geq 0$이어야 하므로 이차방정식 $f'(x)=0$의 판별식을 D라 하면

$\dfrac{D}{4}=9a^2-36a \leq 0$, $9a(a-4) \leq 0$

$\therefore 0 \leq a \leq 4$

따라서 실수 a의 최댓값은 4이다.

03 $f(x)=2x^3-6x-3$에서

$f'(x)=6x^2-6=6(x-1)(x+1)$

$f'(x)=0$에서 $x=-1$ 또는 $x=1$

$0 \leq x \leq 2$에서 함수 $f(x)$의 증가, 감소를 표로 나타내면 다음과 같다.

x	0	$\cdots$	1	$\cdots$	2
$f'(x)$		$-$	0	$+$	
$f(x)$	-3	$\searrow$	-7	$\nearrow$	1

따라서 함수 $f(x)$는

$x=2$일 때 최댓값 $M=f(2)=1$

$x=1$일 때 최솟값 $m=f(1)=-7$

$\therefore M-m=1-(-7)=8$

04 $f(x)=x^3-3kx^2-9k^2x+2$에서

$f'(x)=3x^2-6kx-9k^2=3(x+k)(x-3k)$

$f'(x)=0$에서 $x=-k$ 또는 $x=3k$

x	$\cdots$	$-k$	$\cdots$	$3k$	$\cdots$
$f'(x)$	$+$	0	$-$	0	$+$
$f(x)$	$\nearrow$	$5k^3+2$	$\searrow$	$-27k^3+2$	$\nearrow$

$k>0$이므로 함수 $f(x)$는 $x=-k$일 때 극댓값을 갖고, $x=3k$일 때 극솟값을 갖는다.

이때, 함수 $f(x)$의 극댓값과 극솟값의 차가 32이므로

$f(-k)-f(3k)=5k^3+2-(-27k^3+2)=32$

$32k^3=32$ $\therefore k=1$

05 주어진 도함수 $y=f'(x)$의 그래프를 이용하여 함수 $y=f(x)$의 증가, 감소를 표로 나타내면 다음과 같다.

x	$\cdots$	a	$\cdots$	b	$\cdots$	c	$\cdots$
$f'(x)$	$-$	0	$-$		$-$	0	$+$
$f(x)$	$\searrow$		$\searrow$		$\searrow$	극소	$\nearrow$

ㄱ. $x=a$의 좌우에서 $f'(x)$의 부호가 바뀌지 않으므로 극대가 아니다. (거짓)

ㄴ. $x=b$의 좌우에서 $f'(x)$의 부호가 바뀌지 않으므로 극대가 아니다. (거짓)

ㄷ. $x=c$의 좌우에서 $f'(x)$의 부호가 음에서 양으로 바뀌므로 $x=c$에서 극소이다. (참)

따라서 옳은 것은 ㄷ뿐이다.

> **핵심 포인트**
>
> 함수 $y=f(x)$에 대하여 $f'(a)=0$이 되는 $x=a$의 좌우에서 $f'(x)$의 부호가
> (1) 양 ➡ 음 으로 바뀌면 $y=f(x)$는 $x=a$에서 극대이다.
> (2) 음 ➡ 양 으로 바뀌면 $y=f(x)$는 $x=a$에서 극소이다.

06 $\displaystyle\int_{-1}^{1} f(x)\,dx = \int_{-1}^{0} f(x)\,dx + \int_{0}^{1} f(x)\,dx$

$\displaystyle = \int_{-1}^{0} (x^2+3)\,dx + \int_{0}^{1} (3-x)\,dx$

$\displaystyle = \left[\dfrac{1}{3}x^3+3x \right]_{-1}^{0} + \left[3x-\dfrac{1}{2}x^2 \right]_{0}^{1}$

$= \dfrac{10}{3}+\dfrac{5}{2}=\dfrac{35}{6}$

07 $\displaystyle\int_{-3}^{2} (x^2+1)\,dx = \left[\dfrac{1}{3}x^3+x \right]_{-3}^{2}$

$= \left(\dfrac{8}{3}+2 \right) - \{(-9)+(-3)\}$

$= \dfrac{50}{3}$

08 함수 $y=x^3-2x^2-3x$의 그래프와
x축의 교점의 x좌표는
$x^3-2x^2-3x=0$에서
$x(x^2-2x-3)=0$
$x(x+1)(x-3)=0$
$\therefore x=-1$ 또는 $x=0$ 또는 $x=3$
따라서 구하는 넓이는

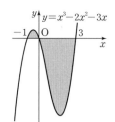

$$\int_{-1}^{0}(x^3-2x^2-3x)\,dx-\int_{0}^{3}(x^3-2x^2-3x)\,dx$$

$$=\left[\frac{1}{4}x^4-\frac{2}{3}x^3-\frac{3}{2}x^2\right]_{-1}^{0}-\left[\frac{1}{4}x^4-\frac{2}{3}x^3-\frac{3}{2}x^2\right]_{0}^{3}$$

$$=-\left(\frac{1}{4}+\frac{2}{3}-\frac{3}{2}\right)-\left(\frac{81}{4}-18-\frac{27}{2}\right)$$

$$=\frac{71}{6}$$

09 제동을 건 지 t초 후의 열차의 속도를 v라 하면
$$v=\frac{dx}{dt}=-0.7t+7$$
열차가 정지할 때의 속도는 0이므로
$-0.7t+7=0$ $\quad\therefore t=10$
따라서 열차가 정지할 때까지 달린 거리는
$(-0.35)\times10^2+7\times10=-35+70=35(\mathrm{m})$

10 $v(t)=\begin{cases} -2t & (0\le t<1) \\ 2t-4 & (t\ge1) \end{cases}$

이므로 $t=0$에서 $t=3$까지 점 P가 실제로 움직인 거리는
$$\int_{0}^{3}|v(t)|dt=\int_{0}^{1}2t\,dt+\int_{1}^{2}(-2t+4)dt+\int_{2}^{3}(2t-4)dt$$

$$=\left[t^2\right]_{0}^{1}+\left[-t^2+4t\right]_{1}^{2}+\left[t^2-4t\right]_{2}^{3}$$

$$=1+1+1=3$$

[다른 풀이]
구간 $[0,\ 3]$에서 점 P가 실제로 움직인 거리는 $v(t)$의 그래프와
직선 $t=3$ 및 t축으로 둘러싸인 부분의 넓이와 같으므로
$$\frac{1}{2}\times2\times2+\frac{1}{2}\times1\times2=2+1=3$$

11 곡선 $y=f(x)$ 위의 점 $(x,\ f(x))$에서의 접선의 기울기가
$2x-6$이므로
$f'(x)=2x-6$
$$\therefore f(x)=\int f'(x)\,dx$$
$$=\int(2x-6)\,dx$$
$$=x^2-6x+C$$
$$=(x-3)^2-9+C$$
즉, $y=f(x)$는 $x=3$일 때 최솟값 $-9+C$를 가지므로
$-9+C=5$ $\quad\therefore C=14$
따라서 $f(x)=x^2-6x+14$이므로
$f(2)=4-12+14=6$

12 $\int_{3}^{x}f(t)dt=x^2-2x+a$의 양변에 $x=3$을 대입하면
$0=9-6+a$
$\therefore a=-3$
주어진 식의 양변을 x에 대하여 미분하면
$f(x)=2x-2$
$\therefore f(4)=8-2=6$
$\therefore a+f(4)=-3+6=3$

13 함수 $y=f(x)$는 $f(x+3)=f(x)$를 만족시키므로
$$\int_{1}^{4}f(x)\,dx=\int_{4}^{7}f(x)\,dx=\int_{7}^{10}f(x)\,dx$$
$$=\int_{10}^{13}f(x)\,dx=\int_{13}^{16}f(x)\,dx$$
$$=\int_{16}^{19}f(x)\,dx=5$$

$$\therefore \int_{1}^{19}f(x)\,dx=\int_{1}^{4}f(x)\,dx+\int_{4}^{7}f(x)\,dx+\int_{7}^{10}f(x)\,dx$$
$$+\int_{10}^{13}f(x)\,dx+\int_{13}^{16}f(x)\,dx+\int_{16}^{19}f(x)\,dx$$
$$=6\times5=30$$

14 $\int_{0}^{1}f(t)dt=k$ (k는 상수)로 놓으면
$f(x)=8x^3+6x^2+2k$
$$k=\int_{0}^{1}(8t^3+6t^2+2k)dt$$
$$=\left[2t^4+2t^3+2kt\right]_{0}^{1}$$
$$=2k+4 \qquad \therefore k=-4$$
따라서 $f(x)=8x^3+6x^2-8$이므로
$f(0)=-8$

15 $\int_{0}^{x}(x-t)f(t)dt=\frac{1}{8}x^4+5x^2$에서
$$x\int_{0}^{x}f(t)dt-\int_{0}^{x}tf(t)dt=\frac{1}{8}x^4+5x^2$$
위의 식의 양변을 x에 대하여 미분하면
$$\int_{0}^{x}f(t)dt+xf(x)-xf(x)=\frac{1}{2}x^3+10x$$
$$\therefore \int_{0}^{x}f(t)dt=\frac{1}{2}x^3+10x$$
위의 식의 양변을 다시 x에 대하여 미분하면
$$f(x)=\frac{3}{2}x^2+10$$
따라서 $f(x)$는 $x=0$일 때, 최솟값 10을 갖는다.

16 (나)에서 $\int xf(x)g(x)dx=2x^2f(x)+g(x)-3x^2$이므로
양변을 x에 대하여 미분하면
$xf(x)g(x)=4xf(x)+2x^2f'(x)+g'(x)-6x$
이 식의 양변에 $x=2$를 대입하면
$2f(2)g(2)=8f(2)+8f'(2)+g'(2)-12$
$\qquad\qquad=8+16+2-12=14$

따라서 $f(2)g(2)=7$이므로
$g(2)=7$

17 $f(x)=x^3+ax^2+bx+c$라 하면
$f'(x)=3x^2+2ax+b$
$f(0)=12$에서 $c=12$
$f(2)=0$에서 $8+4a+2b+12=0$
$\therefore 2a+b=-10$ ······㉠
$f'(2)=0$에서 $12+4a+b=0$
$\therefore 4a+b=-12$ ······㉡
㉠, ㉡을 연립하여 풀면 $a=-1$, $b=-8$
$\therefore f(x)=x^3-x^2-8x+12$
$f'(x)=3x^2-2x-8=(3x+4)(x-2)$
$f'(x)=0$에서 $x=-\dfrac{4}{3}$ 또는 $x=2$
함수 $y=f(x)$의 증가, 감소를 표로 나타내면 다음과 같다.

x	$\cdots$	$-\dfrac{4}{3}$	$\cdots$	2	$\cdots$
$f'(x)$	$+$	0	$-$	0	$+$
$f(x)$	↗	극대	↘	극소	↗

따라서 함수 $y=f(x)$는 $x=2$일 때 극솟값을 가지므로 $f(x)$의 극솟값은 0이다.

[참고]
$f(2)=f'(2)=0$이므로 $f(x)$는 $(x-2)^2$으로 나누어떨어진다.
즉, $f(x)=(x-2)^2(x-a)$ (a는 상수)로 놓고 문제를 해결할 수 있다.

18 (나)에서 $\displaystyle\int_0^x f(t)dt=\dfrac{x^2}{9}\int_0^a f(t)dt$ ······㉠
㉠의 양변을 x에 대하여 미분하면
$f(x)=\dfrac{2x}{9}\displaystyle\int_0^a f(t)dt$
$\displaystyle\int_0^a f(t)dt=k$ (k는 상수)로 놓으면
$f(x)=\dfrac{2}{9}kx$
(가)에서 $\displaystyle\int_0^1 f(t)dt=\int_0^1 \dfrac{2}{9}kt\,dt=\left[\dfrac{1}{9}kt^2\right]_0^1=\dfrac{1}{9}k=1$
즉, $k=9$이므로 $f(x)=2x$
㉠의 양변에 $x=a$를 대입하면
$\displaystyle\int_0^a f(t)dt=\dfrac{a^2}{9}\int_0^a f(t)dt$
즉, $\dfrac{a^2}{9}=1$에서 $a^2=9$ $\therefore a=3$ ($\because a>0$)
$\therefore f(a)=f(3)=2\times3=6$

19 $t=0$에서의 점 P의 좌표가 5이므로 $t=4$에서의 점 P의 좌표는
$5+\displaystyle\int_0^4 v(t)dt=5+\int_0^4 (6-2t)dt$ ······㉮
$=5+\left[6t-t^2\right]_0^4$
$=5+8=13$ ······㉯

채점 기준	배점
㉮ $5+\displaystyle\int_0^4 v(t)dt$ 식 세우기	3점
㉯ 답 구하기	3점

20 주어진 등식의 양변을 x에 대하여 미분하면
$F'(x)=f(x)+xf'(x)+6x^2-2x$
$f(x)=f(x)+xf'(x)+6x^2-2x$
$xf'(x)=-6x^2+2x$
$\therefore f'(x)=-6x+2$ ······㉮
$\therefore f(x)=\displaystyle\int(-6x+2)dx$
$=-3x^2+2x+C$
$f(0)=2$에서 $C=2$ ······㉯
따라서 $f(x)=-3x^2+2x+2$이므로
$f(2)=-12+4+2=-6$ ······㉰

채점 기준	배점
㉮ $f'(x)=-6x+2$ 구하기	2점
㉯ $C=2$ 구하기	2점
㉰ 답 구하기	2점

21 $f(x)=x^4-32x+50$이라 하면
$f'(x)=4x^3-32$
$=4(x^3-8)$
$=4(x-2)(x^2+2x+4)$
그런데 $x^2+2x+4=(x+1)^2+3>0$이므로
$x>2$에서 $f'(x)>0$ ······㉮
즉, 구간 $(2, \infty)$에서 함수 $y=f(x)$는 증가한다.
$f(2)=2$이므로 $x>2$에서 $f(x)>0$ ······㉯
$\therefore x^4-32x+50>0$
따라서 $x>2$에서 부등식 $x^4-32x+50>0$이 성립한다. ······㉰

채점 기준	배점
㉮ $x>2$에서 $f'(x)>0$임을 보이기	2점
㉯ $x>2$에서 $f(x)>0$임을 보이기	2점
㉰ 부등식이 성립함을 보이기	2점

22 $f(x)=x^3+3(a-1)x^2-3(a-3)x+2$에서
$f'(x)=3x^2+6(a-1)x-3a+9$
함수 $y=f(x)$가 $x\leq0$에서 극값을 갖지 않으려면
함수 $y=f(x)$가 극값을 갖지 않거나 $x>0$에서만 극값을 가져야 한다.
이차방정식 $3x^2+6(a-1)x-3a+9=0$의 판별식을 D라 하면
(i) 함수 $y=f(x)$가 극값을 갖지 않는 경우
방정식 $f'(x)=0$이 중근 또는 허근을 가져야 하므로
$\dfrac{D}{4}=9(a-1)^2-3(-3a+9)\leq0$
$a^2-a-2\leq0$, $(a+1)(a-2)\leq0$
$\therefore -1\leq a\leq2$ ······㉮
(ii) 함수 $y=f(x)$가 $x>0$에서만 극값을 갖는 경우
방정식 $f'(x)=0$이 서로 다른 두 양의 실근을 가져야 하므로
$\dfrac{D}{4}=9(a-1)^2-3(-3a+9)>0$

$a^2 - a - 2 > 0$, $(a+1)(a-2) > 0$

$\therefore a < -1$ 또는 $a > 2$ ......㉠

이차방정식의 근과 계수의 관계에 의하여

(두 근의 합)$= -2(a-1) > 0$ $\therefore a < 1$ ......㉡

(두 근의 곱)$= -a + 3 > 0$ $\therefore a < 3$ ......㉢

㉠, ㉡, ㉢에서 $a < -1$ ......❹

(i), (ii)에서 $a \leq 2$ ......❺

채점 기준	배점
㉮ $-1 \leq a \leq 2$ 구하기	3점
㉯ $a < -1$ 구하기	3점
㉰ 답 구하기	2점

23 두 곡선 $y = x^2 - 2$, $y = -x^2 + \dfrac{2}{n^2}$ 의 교점의 x좌표는

$x^2 - 2 = -x^2 + \dfrac{2}{n^2}$ 에서 $x^2 = 1 + \dfrac{1}{n^2}$

$\therefore x = -\sqrt{1 + \dfrac{1}{n^2}}$ 또는 $x = \sqrt{1 + \dfrac{1}{n^2}}$ ......㉮

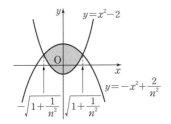

두 곡선으로 둘러싸인 부분의 넓이를 S_n이라 하면 S_n은 그림과 같이 y축에 대하여 대칭이므로

$$S_n = 2\int_0^{\sqrt{1+\frac{1}{n^2}}} \left\{ \left(-x^2 + \frac{2}{n^2}\right) - (x^2 - 2) \right\} dx$$

$$= 2\int_0^{\sqrt{1+\frac{1}{n^2}}} \left(-2x^2 + 2 + \frac{2}{n^2}\right) dx$$

$$= 2\left[-\frac{2}{3}x^3 + \left(2 + \frac{2}{n^2}\right)x \right]_0^{\sqrt{1+\frac{1}{n^2}}}$$

$$= 2\left\{ -\frac{2}{3}\left(1 + \frac{1}{n^2}\right)\sqrt{1 + \frac{1}{n^2}} + \left(2 + \frac{2}{n^2}\right)\sqrt{1 + \frac{1}{n^2}} \right\}$$

$$= \frac{8}{3}\left(1 + \frac{1}{n^2}\right)\sqrt{1 + \frac{1}{n^2}} \quad ......❹$$

즉, $\dfrac{8}{3}\left(1 + \dfrac{1}{n^2}\right)\sqrt{1 + \dfrac{1}{n^2}} = \dfrac{17\sqrt{17}}{24}$ 이므로

$\sqrt{\left(\dfrac{n^2+1}{n^2}\right)^3} = \dfrac{17\sqrt{17}}{64}$, $\left(\dfrac{n^2+1}{n^2}\right)^3 = \left(\dfrac{17\sqrt{17}}{64}\right)^2 = \left(\dfrac{17}{16}\right)^3$

$n^2 = 16$ $\therefore n = 4$ ($\because n$은 자연수) ......❺

채점 기준	배점
㉮ 두 곡선의 교점의 x좌표 구하기	3점
㉯ S_n 구하기	3점
㉰ 답 구하기	2점

20○○학년도 2학년 기말고사(3회)				
01 ④	02 ⑤	03 ②	04 ①	05 ④
06 ①	07 ②	08 ③	09 ②	10 ⑤
11 ③	12 ①	13 ⑤	14 ③	15 ③
16 ⑤	17 ④	18 ③	19 44	20 $k \geq 1$
21 $\dfrac{23}{2}$	22 $\dfrac{32}{3}$	23 -2		

01 함수 $f(x) = x^3 + x$는 닫힌구간 $[1, 4]$에서 연속이고 열린구간 $(1, 4)$에서 미분가능하므로 평균값 정리에 의하여

$$\frac{f(4) - f(1)}{4 - 1} = \frac{68 - 2}{3} = 22 = f'(c) \quad (1 < c < 4)$$

인 c가 적어도 하나 존재한다.

$f'(x) = 3x^2 + 1$이므로

$f'(c) = 3c^2 + 1 = 22$

$c^2 = 7$ $\therefore c = \sqrt{7}$ ($\because 1 < c < 4$)

핵심 포인트

평균값 정리

함수 $y = f(x)$가

(i) 닫힌구간 $[a, b]$에서 연속이고

(ii) 열린구간 (a, b)에서 미분가능할 때,

$$\frac{f(b) - f(a)}{b - a} = f'(c)$$

가 되는 c가 a와 b 사이에 적어도 하나 존재한다.

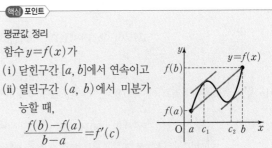

02 $\displaystyle\int_0^1 10(x-1)(x+1)(x^2+1)\, dx$

$$= \int_0^1 10(x^2 - 1)(x^2 + 1)\, dx$$

$$= \int_0^1 10(x^4 - 1)\, dx$$

$$= \int_0^1 (10x^4 - 10)\, dx$$

$$= \left[2x^5 - 10x \right]_0^1 = -8$$

03 $f(x) = \displaystyle\int (x+1)^2\, dx - \int (x-1)^2\, dx$

$$= \int \{(x+1)^2 - (x-1)^2\}\, dx$$

$$= \int 4x\, dx = 2x^2 + C \text{ (단, } C\text{는 적분상수)}$$

$f(2) = 7$이므로 $8 + C = 7$

$\therefore C = -1$

따라서 $f(x) = 2x^2 - 1$이므로

$f(1) = 1$

04 $f(x)=x^3+ax^2+9x+b$에서

$f'(x)=3x^2+2ax+9$

이때, 함수 $f(x)$가 $x=1$에서 극댓값 0을 가지므로

$f(1)=0$에서 $1+a+9+b=0$

$\therefore a+b=-10$ ……㉠

$f'(1)=0$에서 $3+2a+9=0$

$\therefore a=-6$

$a=-6$을 ㉠에 대입하면 $b=-4$

즉, $f(x)=x^3-6x^2+9x-4$에서

$f'(x)=3x^2-12x+9$

$=3(x^2-4x+3)$

$=3(x-1)(x-3)$

$f'(x)=0$에서 $x=1$ 또는 $x=3$

함수 $f(x)$의 증가, 감소를 표로 나타내면 다음과 같다.

x	$\cdots$	1	$\cdots$	3	$\cdots$
$f'(x)$	$+$	0	$-$	0	$+$
$f(x)$	↗	극대	↘	극소	↗

함수 $f(x)$는 $x=3$에서 극소이고 극솟값은

$f(3)=27-54+27-4=-4$

05 $x^3-2x^2-4x+a=0$에서

$x^3-2x^2-4x=-a$ ……㉠

$f(x)=x^3-2x^2-4x$로 놓으면

$f'(x)=3x^2-4x-4=(x-2)(3x+2)$

$f'(x)=0$에서 $x=-\frac{2}{3}$ 또는 $x=2$

함수 $f(x)$의 증가, 감소를 표로 나타내면 다음과 같다.

x	$\cdots$	$-\frac{2}{3}$	$\cdots$	2	$\cdots$
$f'(x)$	$+$	0	$-$	0	$+$
$f(x)$	↗	$\frac{40}{27}$	↘	-8	↗

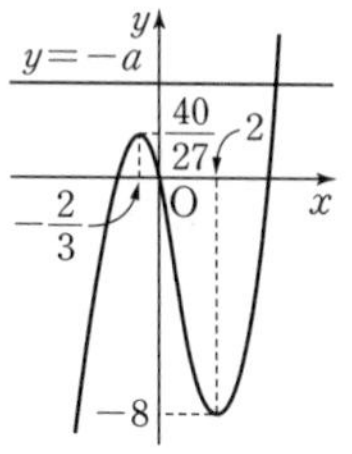

따라서 방정식 ㉠이 두 개의 허근과 한 개의 양의 실근을 갖기 위해서는

$-a>\frac{40}{27}$ $\therefore a<-\frac{40}{27}$

따라서 실수 a의 최댓값은 $-\frac{40}{27}$이다.

06 $f'(x)=x^2-x$이므로

$f(x)=\int(x^2-x)dx$

$=\frac{1}{3}x^3-\frac{1}{2}x^2+C$ (단, C는 적분상수)

$f'(x)=x(x-1)=0$에서 $x=0$ 또는 $x=1$

따라서 $x=0$, $x=1$에서 극값을 가지므로 극댓값과 극솟값의 차는

$|f(0)-f(1)|=\left|C-\left(\frac{1}{3}-\frac{1}{2}+C\right)\right|=\frac{1}{6}$

07 점 P의 시각 t에서의 속도를 v, 가속도를 a라 하면

$v=\frac{dx}{dt}=6t^2-12t$

$a=\frac{dv}{dt}=12t-12$

점 P가 운동 방향을 바꿀 때의 속도는 0이므로

$6t^2-12t=0$, $6t(t-2)=0$

$\therefore t=2$ ($\because t>0$)

따라서 $t=2$일 때 운동 방향을 바꾸므로 구하는 가속도는

$12\times2-12=12$

08 물체가 최고 높이에 도달하는 순간의 속도는 0이므로

$v(t)=98-9.8t=0$ $\therefore t=10$

최고 높이에 도달할 때까지 물체가 움직인 거리는

$\int_0^{10}v(t)dt=\int_0^{10}(98-9.8t)dt$

$=\left[98t-4.9t^2\right]_0^{10}=490(\text{m})$

따라서 물체가 지면에 떨어질 때까지 움직인 거리는

$490+(490+20)=1000(\text{m})$

09 육상 선수가 달리는 속도는 8 (m/s)이므로 t초 동안의 이동 거리를 x라 하면

$x=8t$

그림에서 △AOB∽△PQB이므로

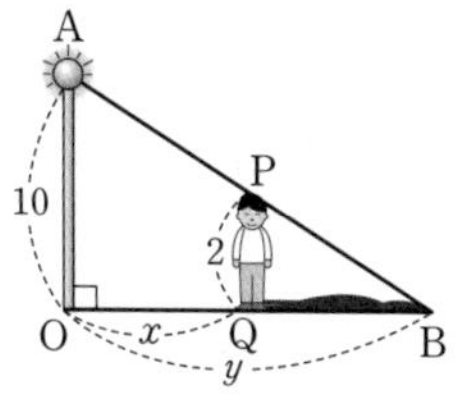

$10:2=y:(y-8t)$

$2y=10(y-8t)$

$\therefore y=10t$

t초 후의 그림자의 길이를 l이라 하면

$l=y-x$

$=10t-8t=2t$

따라서 그림자의 길이의 변화율은

$\frac{dl}{dt}=2$ (m/s)

10 함수 $y=f'(x)$의 그래프에서 $f'(x)=0$이 되는 x의 값은 0, 2이므로 함수 $f(x)$의 증가, 감소를 표로 나타내면 다음과 같다.

x	$\cdots$	0	$\cdots$	2	$\cdots$
$f'(x)$	$+$	0	$-$	0	$+$
$f(x)$	↗	극대	↘	극소	↗

$f(x)=x^3+ax^2+bx+c$에서

$f'(x)=3x^2+2ax+b$

이때, $f'(0)=0$, $f'(2)=0$이므로

$f'(0)=b=0$ ······㉠

$f'(2)=12+4a+b=0$ ······㉡

㉠, ㉡을 연립하여 풀면

$a=-3$, $b=0$

또 함수 $f(x)$는 $x=2$에서 극솟값 1을 가지므로

$f(2)=8+4a+2b+c=1$

$-4+c=1$ ∴ $c=5$

∴ $f(x)=x^3-3x^2+5$

따라서 구하는 극댓값은

$f(0)=5$

11 $f'(x)=\begin{cases} -x & (x\geq0) \\ x & (x<0) \end{cases}$ 이므로

$f(x)=\begin{cases} -\dfrac{x^2}{2}+C_1 & (x\geq0) \\ \dfrac{x^2}{2}+C_2 & (x<0) \end{cases}$ (단, C_1, C_2는 적분상수)

$f(-3)=2$이므로 $\dfrac{9}{2}+C_2=2$

∴ $C_2=-\dfrac{5}{2}$

함수 $y=f(x)$는 $x=0$에서 연속이므로

$C_1=C_2=-\dfrac{5}{2}$

∴ $f(x)=\begin{cases} -\dfrac{x^2}{2}-\dfrac{5}{2} & (x\geq0) \\ \dfrac{x^2}{2}-\dfrac{5}{2} & (x<0) \end{cases}$

∴ $f(5)=-\dfrac{25}{2}-\dfrac{5}{2}=-15$

12 $f(x)=6x^2+\displaystyle\int_0^1 (2x+1)f(t)dt$

$\qquad =6x^2+2x\displaystyle\int_0^1 f(t)dt+\int_0^1 f(t)dt$

$\displaystyle\int_0^1 f(t)dt=k$ (k는 상수)로 놓으면

$f(x)=6x^2+2kx+k$

∴ $k=\displaystyle\int_0^1 (6t^2+2kt+k)dt$

$\qquad =\Big[2t^3+kt^2+kt\Big]_0^1$

$\qquad =2+2k$

∴ $k=-2$

따라서 $f(x)=6x^2-4x-2$이므로

$f(3)=54-12-2=40$

13 $f(x)=x^3-(a+2)x^2+ax$에서

$f'(x)=3x^2-2(a+2)x+a$

점 $(t, f(t))$에서의 접선의 방정식은

$y-\{t^3-(a+2)t^2+at\}=\{3t^2-2(a+2)t+a\}(x-t)$

∴ $y=\{3t^2-2(a+2)t+a\}x-2t^3+(a+2)t^2$

∴ $g(t)=-2t^3+(a+2)t^2$

$g'(t)=-6t^2+2(a+2)t$이므로

함수 $y=g(t)$가 $0\leq t\leq6$에서 증가하려면 이 구간에서

$g'(t)\geq0$이어야 한다.

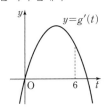

(i) $g'(0)=0$

(ii) $g'(6)=-216+12(a+2)\geq0$에서

$\quad a\geq16$

(i), (ii)에서 $a\geq16$

14 곡선 $y=x^3-(a+3)x^2+3ax$와

x축의 교점의 x좌표는

$x^3-(a+3)x^2+3ax=0$에서

$x\{x^2-(a+3)x+3a\}=0$

$x(x-a)(x-3)=0$

∴ $x=0$ 또는 $x=a$ 또는 $x=3$

$0<a<3$이므로 곡선 $y=x^3-(a+3)x^2+3ax$는 그림과 같다.

어두운 두 부분의 넓이가 서로 같으므로

$\displaystyle\int_0^3 \{x^3-(a+3)x^2+3ax\}dx$

$=\Big[\dfrac{1}{4}x^4-\dfrac{a+3}{3}x^3+\dfrac{3a}{2}x^2\Big]_0^3=0$

$\dfrac{81}{4}-9(a+3)+\dfrac{27}{2}a=0$

$81-36(a+3)+54a=0$

$18a-27=0$

∴ $a=\dfrac{3}{2}$

15 ㄱ. $t=5$의 좌우에서 $v(t)$의 부호가 바뀌므로 점 P는 운동 방향을 한 번 바꾼다. (참)

ㄴ. $\displaystyle\int_0^5 |v(t)|dt=\dfrac{1}{2}\times(5+2)\times2=7$

즉, $t=5$일 때, 점 P가 움직인 거리는 7이다. (참)

ㄷ. 점 P는 원점을 출발하여 $t=5$일 때까지 같은 방향으로 계속 움직이다가 $t=5$일 때, 방향을 바꾸어 출발점으로 돌아오고 있다. 따라서 $t=5$일 때, 원점으로부터 가장 멀리 떨어져 있다. (거짓)

따라서 옳은 것은 ㄱ, ㄴ이다.

16 $0\leq x<1$일 때, $f'(x)>0$

$1<x<3$일 때, $f'(x)<0$

∴ $\displaystyle\int_0^3 |f'(x)|dx=\int_0^1 f'(x)dx+\int_1^3 \{-f'(x)\}dx$

$\qquad =\displaystyle\int_0^1 f'(x)dx-\int_1^3 f'(x)dx$

$\qquad =\Big[f(x)\Big]_0^1-\Big[f(x)\Big]_1^3$

$\qquad =\{f(1)-f(0)\}-\{f(3)-f(1)\}$

$\qquad =2f(1)-f(0)-f(3)$

$\qquad =2+3+3=8$

17 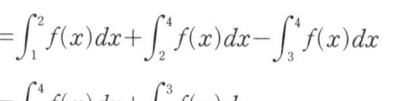 $f(x)=x^3-3x^2+4$에서
$f'(x)=3x^2-6x=3x(x-2)$
$f'(x)=0$에서 $x=0$ 또는 $x=2$
$-1\le x\le 3$에서 함수 $y=f(x)$의 증가, 감소를 표로 나타내면 다음과 같다.

x	-1	$\cdots$	0	$\cdots$	2	$\cdots$	3
$f'(x)$		$+$	0	$-$	0	$+$	
$f(x)$	0	↗	4	↘	0	↗	4

함수 $y=f(x)$는 $x=-1$ 또는 $x=2$에서 최솟값 0, $x=0$ 또는 $x=3$에서 최댓값 4를 갖는다.
$f(x)=t$라 하면 $0\le t\le 4$이므로
$(f\circ f)(x)=f(f(x))=f(t)$
$\qquad\qquad\qquad\quad =t^3-3t^2+4$
$g(t)=t^3-3t^2+4$라 하면
$g'(t)=3t^2-6t=3t(t-2)$
$g'(t)=0$에서 $t=0$ 또는 $t=2$
$0\le t\le 4$에서 함수 $y=g(t)$의 증가, 감소를 표로 나타내면 다음과 같다.

t	0	$\cdots$	2	$\cdots$	4
$g'(t)$	0	$-$	0	$+$	
$g(t)$	4	↘	0	↗	20

따라서 함수 $y=g(t)$는 $t=2$에서 최솟값 0을 갖는다.

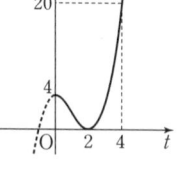

18 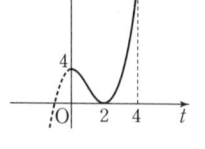 $f(x)=-x^2+1\ (-1\le x\le 1)$이고, $f(x)=f(x+2)$이므로 함수 $f(x)$의 그래프는 그림과 같다.

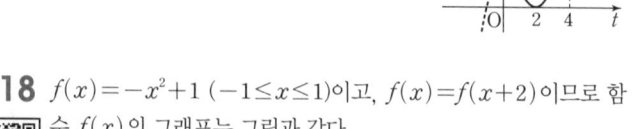

$\displaystyle\int_1^{100}f(x)dx=\int_1^3 f(x)dx+\int_3^5 f(x)dx+\cdots$
$\qquad\qquad\qquad +\int_{97}^{99}f(x)dx+\int_{99}^{100}f(x)dx$
$\qquad =49\int_{-1}^1 f(x)dx+\int_0^1 f(x)dx$
$\qquad =49\int_{-1}^1 (-x^2+1)dx+\int_0^1(-x^2+1)dx$
$\qquad =99\int_0^1(-x^2+1)dx$
$\qquad =99\left[-\dfrac{1}{3}x^3+x\right]_0^1$
$\qquad =99\times\dfrac{2}{3}=66$

19 $\displaystyle\int_2^4 f(x)dx-\int_3^4 f(x)dx+\int_1^2 f(x)dx$

$\qquad =\displaystyle\int_1^2 f(x)dx+\int_2^4 f(x)dx-\int_3^4 f(x)dx$
$\qquad =\displaystyle\int_1^4 f(x)dx+\int_4^3 f(x)dx$ $\qquad$……㉮
$\qquad =\displaystyle\int_1^3 f(x)dx$ $\qquad\qquad\qquad$……㉯
$\qquad =\displaystyle\int_1^3 (6x^2-2x)\,dx$
$\qquad =\left[2x^3-x^2\right]_1^3$
$\qquad =45-1=44$ $\qquad\qquad\qquad$……㉰

채점 기준	배점
㉮ $-\displaystyle\int_3^4 f(x)\,dx=\int_4^3 f(x)\,dx$ 구하기	2점
㉯ $\displaystyle\int_1^4 f(x)\,dx+\int_4^3 f(x)\,dx=\int_1^3 f(x)\,dx$ 구하기	2점
㉰ 답 구하기	2점

20 $f(x)=x^3-3x+2$라 하면
$f'(x)=3x^2-3=3(x+1)(x-1)$
$f'(x)=0$에서 $x=-1$ 또는 $x=1$ $\qquad$……㉮
함수 $f(x)$의 증가, 감소를 표로 나타내면 다음과 같다.

x	$\cdots$	-1	$\cdots$	1	$\cdots$
$f'(x)$	$+$	0	$-$	0	$+$
$f(x)$	↗	4	↘	0	↗

따라서 $x>1$일 때 부등식 $f(x)>0$이 항상 성립하므로 실수 k의 값의 범위는 $k\ge 1$ $\qquad$……㉯

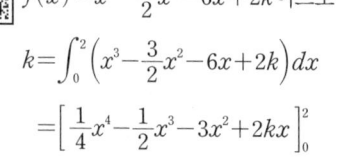

채점 기준	배점
㉮ $f'(x)=0$이 되는 x값 구하기	3점
㉯ 답 구하기	3점

21 $\displaystyle\int_0^2 f(x)\,dx=k\ (k$는 상수$)$로 놓으면
$f(x)=x^3-\dfrac{3}{2}x^2-6x+2k$이므로
$k=\displaystyle\int_0^2\left(x^3-\dfrac{3}{2}x^2-6x+2k\right)dx$
$\quad =\left[\dfrac{1}{4}x^4-\dfrac{1}{2}x^3-3x^2+2kx\right]_0^2$
$\quad =4-4-12+4k$
$\therefore k=4$ $\qquad\qquad\qquad\qquad$……㉮
따라서 $f(x)=x^3-\dfrac{3}{2}x^2-6x+8$이므로
$f'(x)=3x^2-3x-6=3(x+1)(x-2)$
$f'(x)=0$에서 $x=-1$ 또는 $x=2$ $\qquad$……㉯
함수 $f(x)$의 증가, 감소를 표로 나타내면 다음과 같다.

x	$\cdots$	-1	$\cdots$	2	$\cdots$
$f'(x)$	$+$	0	$-$	0	$+$
$f(x)$	↗	극대	↘	극소	↗

즉, 함수 $f(x)$는 $x=-1$일 때 극대이므로 극댓값은

$$f(-1)=-1-\frac{3}{2}+6+8=\frac{23}{2} \quad\cdots\cdots \text{다}$$

채점 기준	배점
㉮ $k=4$ 구하기	2점
㉯ $f'(x)=0$이 되는 x의 값 구하기	2점
㉰ 답 구하기	2점

22 점 $(1, 5)$를 지나는 직선을 $y=g(x)$라 하고, 이 직선의 기울기를

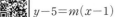

m이라 하면 직선의 방정식은

$y-5=m(x-1)$

$\therefore y=mx-m+5 \quad\cdots\cdots \text{㉮}$

곡선 $y=x^2$과 직선 $y=g(x)$의 교점의 x좌표를 α, β $(\alpha<\beta)$라 하면 이차방정식 $x^2-mx+m-5=0$의 두 근이 α, β이므로 근과 계수의 관계에 의하여

$\alpha+\beta=m$, $\alpha\beta=m-5 \quad\cdots\cdots \text{㉯}$

곡선 $y=x^2$과 직선 $y=g(x)$로 둘러싸인 도형의 넓이는

$$\int_{\alpha}^{\beta}\{(mx-m+5)-x^2\}dx$$
$$=\frac{1}{6}(\beta-\alpha)^3$$

이고

$$(\beta-\alpha)^2=(\beta+\alpha)^2-4\alpha\beta$$
$$=m^2-4(m-5)$$
$$=(m-2)^2+16\geq16$$

$\therefore \beta-\alpha\geq4 \ (\because \alpha<\beta) \quad\cdots\cdots \text{다}$

이므로 구하는 넓이의 최솟값은

$$\frac{1}{6}\times64=\frac{32}{3} \quad\cdots\cdots \text{㉱}$$

채점 기준	배점
㉮ 점 $(1, 5)$를 지나는 직선의 방정식 세우기	2점
㉯ 근과 계수와의 관계 이용하기	2점
㉰ $\beta-\alpha\geq4$ 구하기	2점
㉱ 답 구하기	2점

> **핵심 포인트**
>
> **곡선과 직선 사이의 넓이**
> 곡선과 직선 사이의 넓이를 구할 때는
> ① 곡선과 직선을 그려 위치 관계를 파악한다.
> ② 곡선과 직선의 교점의 x좌표를 구하여 적분 구간을 정한다.
> ③ {(위 그래프의 식)$-$(아래 그래프의 식)}을 정적분한다.
>
> [참고] 곡선 $y=ax^2+bx+c$와
> 직선 $y=mx+n$의 교점의 x
> 좌표를 α, β $(\alpha<\beta)$라 하면
> 곡선과 직선으로 둘러싸인 도
> 형의 넓이는 $S=\dfrac{|a|(\beta-\alpha)^3}{6}$
>
>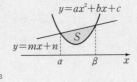

23 조건 (나)의 $6x-6\leq f(x)\leq2x^3-2$에 $x=1$을 대입하면

$0\leq f(1)\leq0$이므로 $f(1)=0 \quad\cdots\cdots \text{㉮}$

$x>1$일 때,

$$\frac{6x-6}{x-1}\leq\frac{f(x)-f(1)}{x-1}\leq\frac{2x^3-2}{x-1}$$에서

$$\lim_{x\to1}\frac{6x-6}{x-1}=6, \ \lim_{x\to1}\frac{2x^3-2}{x-1}=\lim_{x\to1}2(x^2+x+1)=6$$

이므로 함수의 극한의 대소 관계에 의하여

$$\lim_{x\to1}\frac{f(x)-f(1)}{x-1}=f'(1)=6 \quad\cdots\cdots \text{㉯}$$

최고차항의 계수가 1인 삼차함수 $f(x)$가 $f(0)=-3$이므로
$f(x)=x^3+ax^2+bx-3$으로 놓을 수 있다.

$f(1)=0$이므로 $a+b=2 \quad\cdots\cdots \bigcirc$

$f'(x)=3x^2+2ax+b$에서 $f'(1)=6$이므로

$2a+b=3 \quad\cdots\cdots \bigcirc\bigcirc$

$\bigcirc$, $\bigcirc\bigcirc$을 연립하여 풀면 $a=1$, $b=1$

따라서 $f(x)=x^3+x^2+x-3$이므로

$g(x)=x^3+x^2-x-3 \quad\cdots\cdots \text{다}$

$g'(x)=3x^2+2x-1=(3x-1)(x+1)=0$에서

$x=-1$ 또는 $x=\dfrac{1}{3}$

함수 $g(x)$의 증가, 감소를 표로 나타내면 다음과 같다.

x	$\cdots$	-1	$\cdots$	$\frac{1}{3}$	$\cdots$
$g'(x)$	$+$	0	$-$	0	$+$
$g(x)$	$\nearrow$	-2	$\searrow$	$-\frac{86}{27}$	$\nearrow$

따라서 함수 $g(x)$는 $x=-1$에서 극댓값 -2를 갖는다. $\cdots\cdots \text{㉱}$

채점 기준	배점
㉮ $f(1)=0$ 구하기	2점
㉯ $f'(1)=6$ 구하기	2점
㉰ 함수 $g(x)$ 구하기	2점
㉱ 답 구하기	2점

20○○학년도 2학년 기말고사(4회)

01 ③	02 ②	03 ④	04 ⑤	05 ①
06 ①	07 ④	08 ④	09 ②	10 ③
11 ①	12 ②	13 ⑤	14 ⑤	15 ②
16 ③	17 ③	18 ④	19 $2\sqrt{5}$	
20 풀이 참조		21 6	22 3	23 $\dfrac{1}{48}$

01 $f(x)=\displaystyle\int f'(x)\,dx=\int (2x-3)\,dx$

$\qquad = x^2-3x+C$

$\quad f(0)=10$이므로 $C=10$

$\quad$ 따라서 $f(x)=x^2-3x+10$이므로

$\quad f(2)=4-6+10=8$

02 $\displaystyle\int_0^2 (2x^2+3)\,dx-2\int_0^2 (x-2)^2\,dx$

$\quad =\displaystyle\int_0^2 (2x^2+3)\,dx-\int_0^2 (2x^2-8x+8)\,dx$

$\quad =\displaystyle\int_0^2 (2x^2+3-2x^2+8x-8)\,dx$

$\quad =\displaystyle\int_0^2 (8x-5)\,dx$

$\quad =\Big[4x^2-5x\Big]_0^2=16-10=6$

03 $f(x)=x^3-6x^2+ax+5$에서

$\quad f'(x)=3x^2-12x+a$

$\quad$ 임의의 두 실수 x_1, x_2에 대하여 $x_1<x_2$이면

$\quad f(x_1)<f(x_2)$이므로 $f(x)$는 증가함수이다.

$\quad$ 즉, 모든 실수 x에 대하여 $f'(x)\ge 0$이어야 하므로 방정식

$\quad f'(x)=0$의 판별식을 D라 하면

$\quad \dfrac{D}{4}=36-3a\le 0$ $\qquad \therefore a\ge 12$

$\quad$ 따라서 실수 a의 최솟값은 12이다.

04 도함수 $y=f'(x)$의 그래프에서 주어진 구간에 따라 $f'(x)$의 부호를 조사하면 다음과 같다.

$\quad$ ① 구간 $(-\infty,\,-4)$에서 $f'(x)>0$이므로

$\qquad y=f(x)$는 이 구간에서 증가한다.

$\quad$ ② 구간 $(2,\,4)$에서 $f'(x)<0$이므로

$\qquad y=f(x)$는 이 구간에서 감소한다.

$\quad$ ③ 구간 $(-4,\,-1)$에서 $f'(x)<0$이므로

$\qquad y=f(x)$는 이 구간에서 감소한다.

$\quad$ ④ 구간 $(4,\,\infty)$에서 $f'(x)>0$이므로

$\qquad y=f(x)$는 이 구간에서 증가한다.

$\quad$ ⑤ 구간 $(-1,\,2)$에서 $f'(x)>0$이므로

$\qquad y=f(x)$는 이 구간에서 증가한다.

$\quad$ 따라서 옳은 것은 ⑤이다.

핵심 포인트

함수의 증가와 감소

(1) 함수 $y=f(x)$가 어떤 구간에서 미분가능하고 그 구간에서

$\quad$ ① $f'(x)>0$이면 $y=f(x)$는 그 구간에서 증가한다.

$\quad$ ② $f'(x)<0$이면 $y=f(x)$는 그 구간에서 감소한다.

(2) 함수 $y=f(x)$가 어떤 구간에서 미분가능하고 그 구간에서

$\quad$ ① $y=f(x)$가 증가하면 $f'(x)\ge 0$

$\quad$ ② $y=f(x)$가 감소하면 $f'(x)\le 0$

[참고] 도함수 $y=f'(x)$의 그래프에서

$\quad$ ① x축 윗부분 ➡ 그 구간에서 증가

$\quad$ ② x축 아랫부분 ➡ 그 구간에서 감소

---

05 t초 후의 공의 속도를 $v(t)$라 하면

$\quad v(t)=h'(t)=20-10t$

$\quad$ 최고 높이에 도달했을 때 $v(t)=0$이므로

$\quad 20-10t=0$ $\qquad \therefore t=2$

$\quad$ 따라서 공이 도달할 수 있는 최고 높이는

$\quad h(2)=20\times 2-5\times 2^2=20\,(\text{m})$

핵심 포인트

위로 던진 물체의 위치와 속도

지면에서 지면과 수직인 방향으로 던진 물체의 t초 후의 높이를 $h\,\text{m}$라 할 때

(1) t초 후의 물체의 속도 ➡ $v=\dfrac{dh}{dt}$

(2) 최고 높이에 도달했을 때의 속도 ➡ $v=0$

---

06 $f(x)=F'(x)=15x^2+2ax+b$이므로 $f(0)=b=2$

$\quad$ 한편, $f'(x)=30x+2a$이므로

$\quad f'(0)=2a=-2$ $\qquad \therefore a=-1$

$\quad \therefore ab=(-1)\times 2=-2$

07 $f(-x)=-f(x)$에서 $y=f(x)$의 그래프는 원점에 대하여 대칭이므로

$\quad \displaystyle\int_{-1}^1 f(x)\,dx=0$

$\quad \therefore \displaystyle\int_{-1}^3 f(x)\,dx=\int_{-1}^1 f(x)\,dx+\int_1^3 f(x)\,dx$

$\qquad\qquad\qquad\quad =0+5=5$

08 $f(x)=ax^3+bx^2+c$에서 $f'(x)=3ax^2+2bx$

$\quad$ 함수 $f(x)$는 점 $(1,\,1)$에서 극값을 가지므로

$\quad f(1)=1$에서 $a+b+c=1$ $\qquad$ ……㉠

$\quad f'(1)=0$에서 $3a+2b=0$ $\qquad$ ……㉡

$\quad$ 한편, 곡선 $y=f(x)$ 위의 $x=2$인 점에서의 접선의 기울기가 12이므로

$\quad f'(2)=12$에서 $12a+4b=12$ $\qquad$ ……㉢

$\quad$ ㉠, ㉡, ㉢을 연립하여 풀면

$\quad a=2,\ b=-3,\ c=2$

$\quad \therefore a+b+c=1$

09 점 P의 좌표를 $P(x, -x^2+3x)$라 하고 삼각형 POH의 넓이를 $S(x)$라 하면

$$S(x)=\frac{1}{2}\overline{OH}\times\overline{PH}=\frac{1}{2}x(-x^2+3x)$$

$$=\frac{1}{2}(-x^3+3x^2)$$

$$S'(x)=\frac{1}{2}(-3x^2+6x)=-\frac{3}{2}x(x-2)$$

$S'(x)=0$에서 $x=2$ ($\because 0<x<3$)

함수 $S(x)$의 증가, 감소를 표로 나타내면 다음과 같다.

x	(0)	$\cdots$	2	$\cdots$	(3)
$S'(x)$		$+$	0	$-$	
$S(x)$		$\nearrow$	극대	$\searrow$	

따라서 함수 $S(x)$는 $x=2$일 때 극대이면서 최대이므로

$$\overline{OH}=2$$

$$\therefore 3\overline{OH}=3\times2=6$$

10 $f(x)=x^3-3x$로 놓으면 $f'(x)=3x^2-3$

곡선 $y=x^3-3x$ 위의 점 (t, t^3-3t)에서의 접선의 방정식은

$$y-(t^3-3t)=(3t^2-3)(x-t)$$

이 직선이 점 $(1, a)$를 지나므로

$$a-(t^3-3t)=(3t^2-3)(1-t)$$

$$\therefore 2t^3-3t^2+3+a=0 \quad \cdots\cdots\bigcirc$$

점 $(1, a)$에서 곡선 $y=f(x)$에 한 개의 접선을 그을 수 있으려면 방정식 ㉠이 하나의 실근을 가져야 한다.

$g(t)=2t^3-3t^2+3+a$로 놓으면

$$g'(t)=6t^2-6t=6t(t-1)$$

$g'(t)=0$에서 $t=0$ 또는 $t=1$

함수 $g(t)$의 증가, 감소를 표로 나타내면 다음과 같다.

t	$\cdots$	0	$\cdots$	1	$\cdots$
$g'(t)$	$+$	0	$-$	0	$+$
$g(t)$	$\nearrow$	$a+3$	$\searrow$	$a+2$	$\nearrow$

방정식 $g(t)=0$이 하나의 실근을 가지려면

(극댓값)$\times$(극솟값)>0이어야 하므로

$$g(0)g(1)=(a+3)(a+2)>0$$

$$\therefore a<-3 \text{ 또는 } a>-2$$

따라서 $\alpha=-3, \beta=-2$이므로

$$\alpha-\beta=(-3)-(-2)=-1$$

11 도함수 $y=f'(x)$는 삼차함수이고, $f'(x)=0$의 해가 $x=-2$ 또는 $x=0$ 또는 $x=2$이므로

$f'(x)=ax(x-2)(x+2)=a(x^3-4x)$ $(a>0)$라 하면

$$f(x)=\int a(x^3-4x)\,dx$$

$$=\frac{1}{4}ax^4-2ax^2+C$$

함수 $f(x)$의 증가, 감소를 표로 나타내면 다음과 같다.

x	$\cdots$	-2	$\cdots$	0	$\cdots$	2	$\cdots$
$f'(x)$	$-$	0	$+$	0	$-$	0	$+$
$f(x)$	$\searrow$	극소	$\nearrow$	극대	$\searrow$	극소	$\nearrow$

함수 $f(x)$는 $x=-2$, $x=2$에서 극소, $x=0$에서 극대이므로

$f(0)=0$에서 $C=0$

$f(-2)=f(2)=-16$에서 $-4a+C=-16$ $\quad\cdots\cdots\bigcirc$

$C=0$을 ㉠에 대입하면 $a=4$

따라서 $f(x)=x^4-8x^2$이므로

$$f(1)=1-8=-7$$

12 조건 ㈎에서

$$\lim_{x\to1}\frac{f(x)-f(1)}{x^2-1}=\lim_{x\to1}\left\{\frac{f(x)-f(1)}{x-1}\times\frac{1}{x+1}\right\}$$

$$=\frac{1}{2}f'(1)=-6$$

$$\therefore f'(1)=-12$$

$f'(x)=2ax+b$이므로

$$f'(1)=2a+b=-12 \quad\cdots\cdots\bigcirc$$

조건 ㈏에서

$$\int_0^1 f(x)\,dx=\int_0^1 (ax^2+bx)\,dx$$

$$=\left[\frac{a}{3}x^3+\frac{b}{2}x^2\right]_0^1$$

$$=\frac{a}{3}+\frac{b}{2}=-4$$

$$\therefore 2a+3b=-24 \quad\cdots\cdots\bigcirc$$

㉠, ㉡을 연립하여 풀면 $a=-3, b=-6$

따라서 $f(x)=-3x^2-6x$이므로

$$f(2)=(-12)-12=-24$$

13 $x^2f(x)=2x^6-ax^4+2\int_1^x tf(t)\,dt \quad\cdots\cdots\bigcirc$

㉠의 양변을 x에 대하여 미분하면

$$2xf(x)+x^2f'(x)=12x^5-4ax^3+2xf(x)$$

$$\therefore x^2f'(x)=x^2(12x^3-4ax)$$

이 식이 모든 실수 x에 대하여 성립하므로

$$f'(x)=12x^3-4ax$$

$$\therefore f(x)=\int(12x^3-4ax)\,dx=3x^4-2ax^2+C$$

$f(0)=3$이므로 $C=3$

$$\therefore f(x)=3x^4-2ax^2+3 \quad\cdots\cdots\bigcirc$$

㉠의 양변에 $x=1$을 대입하면

$$f(1)=2-a$$

㉡에서 $f(1)=3-2a+3=2-a$

$$\therefore a=4$$

따라서 $f(x)=3x^4-8x^2+3$이므로

$$f(2)=48-32+3=19$$

14 $f(x)=\int_x^{x+a} t(t-2)\,dt$의 양변을 x에 대하여 미분하면

$$f'(x)=(x+a)(x+a-2)-x(x-2)$$

$$=x^2+(2a-2)x+a(a-2)-(x^2-2x)$$

$$=2ax+a^2-2a$$

$f'(-1)=0$이므로 $a^2-4a=0$, $a(a-4)=0$

$$\therefore a=4 \ (\because a>0)$$

따라서 $f'(x)=8x+8$이므로 $f'(1)=16$

15 구간 $[0, 3]$에서 정의된 함수 $y=-x^2+ax$의 그래프와 x축 및 직선 $x=3$으로 둘러싸인 부분은 그림의 어두운 부분과 같으므로 구하는 넓이는

$$\int_0^3 (-x^2+ax)\,dx=\left[-\frac{1}{3}x^3+\frac{a}{2}x^2\right]_0^3$$

$$=-9+\frac{9}{2}a$$

따라서 $-9+\frac{9}{2}a=27$이므로

$$\frac{9}{2}a=36 \qquad \therefore a=8$$

16 자동차의 속력을 a m/s라 하면 감속을 시작한 후 t초일 때의 자동차의 속력 $v(t)$는

$$v(t)=a-\int_0^t 4\,dt=a-4t$$

자동차가 정지할 때까지 걸린 시간은

$$a-4t=0 \qquad \therefore t=\frac{a}{4}$$

정지할 때까지 움직인 거리는 100 m보다 작아야 하므로

$$\int_0^{\frac{a}{4}} (a-4t)\,dt<100$$

$$\left[at-2t^2\right]_0^{\frac{a}{4}}=\frac{1}{8}a^2<100$$

$$a<\sqrt{800}=20\sqrt{2}=28$$

$$\therefore k=\frac{3600}{1000}a<3.6\times28=100.8$$

따라서 정수 k의 최댓값은 100이다.

17 함수 $f(x)$는 최고차항의 계수가 1인 사차함수이므로

$$f(x)=x^4+ax^3+bx^2+cx+d$$

조건 (개)에서 $f(0)=d=2$

즉, $f(x)=x^4+ax^3+bx^2+cx+2$에서

$$f'(x)=4x^3+3ax^2+2bx+c$$

조건 (내)에서 주어진 식의 양변에 x 대신 $2+x$를 대입하면

$$f(2-x)=f(2+x)$$

즉, 사차함수 $f(x)$는 직선 $x=2$에 대하여 대칭이다.

$f(2-x)=f(2+x)$의 양변에 $x=1$을 대입하면

$f(1)=f(3)$이므로

$$1+a+b+c+2=81+27a+9b+3c+2$$

$$\therefore 26a+8b+2c=-80 \qquad\cdots\cdots\ \boxminus$$

조건 (대)에서 $f(x)$는 $x=3$에서 극솟값을 갖고 $x=2$에 대하여 대칭이므로 $x=1$에서 극솟값을 갖는다.

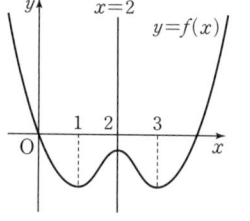

즉, $f'(1)=f'(3)=0$이므로

$$3a+2b+c=-4 \qquad\cdots\cdots\ \boxdot$$

$$27a+6b+c=-108 \qquad\cdots\cdots\ \boxdot$$

$\boxminus$, $\boxdot$, $\boxdot$을 연립하여 풀면

$$a=-8, b=22, c=-24$$

$$\therefore f(x)=x^4-8x^3+22x^2-24x+2$$

따라서 함수 $f(x)$는 $x=2$에서 극댓값을 가지므로 극댓값은

$$f(2)=16-64+88-48+2=-6$$

18 $|x-n|=\begin{cases} x-n & (x\geq n) \\ -x+n & (x<n) \end{cases}$이므로

$$f(n)=\int_0^{2n} |x-n|\,dx$$

$$=\int_0^n (-x+n)\,dx+\int_n^{2n} (x-n)\,dx$$

$$=\left[-\frac{1}{2}x^2+nx\right]_0^n+\left[\frac{1}{2}x^2-nx\right]_n^{2n}$$

$$=\left(-\frac{n^2}{2}+n^2\right)+\left\{(2n^2-2n^2)-\left(\frac{n^2}{2}-n^2\right)\right\}$$

$$=n^2$$

$$\therefore f(1)+f(3)+f(5)+\cdots+f(19)$$

$$=1^2+3^2+5^2+\cdots+19^2$$

$$=\sum_{k=1}^{10} (2k-1)^2=\sum_{k=1}^{10} (4k^2-4k+1)$$

$$=4\sum_{k=1}^{10} k^2-4\sum_{k=1}^{10} k+\sum_{k=1}^{10} 1$$

$$=4\times\frac{10\times11\times21}{6}-4\times\frac{10\times11}{2}+10$$

$$=1540-220+10$$

$$=1330$$

19 $f(x)=x^3-3x-2$에서

$$f'(x)=3x^2-3=3(x+1)(x-1)$$

$$f'(x)=0에서\ x=-1\ 또는\ x=1 \qquad\cdots\cdots\ \boxminus$$

함수 $f(x)$의 증가, 감소를 표로 나타내면 다음과 같다.

x	$\cdots$	-1	$\cdots$	1	$\cdots$
$f'(x)$	$+$	0	$-$	0	$+$
$f(x)$	$\nearrow$	0	$\searrow$	-4	$\nearrow$

따라서 함수 $f(x)$는 $x=-1$일 때 극댓값 0, $x=1$일 때 극솟값 -4를 가지므로 극대가 되는 점 $(-1, 0)$과 극소가 되는 점 $(1, -4)$ 사이의 거리는 $\qquad\cdots\cdots\ \boxdot$

$$\sqrt{(1+1)^2+(-4)^2}=\sqrt{20}=2\sqrt{5} \qquad\cdots\cdots\ \boxdot$$

채점 기준	배점
㉮ $x=-1$ 또는 $x=1$ 구하기	2점
㉯ 극대가 되는 좌표, 극소가 되는 좌표 구하기	2점
㉰ 답 구하기	2점

20 $3x^4-x^3+2x+5\geq3x^3+2x+4$에서

$$3x^4-4x^3+1\geq0 \qquad\cdots\cdots\ \boxminus$$

$f(x)=3x^4-4x^3+1$이라 하면

$$f'(x)=12x^3-12x^2=12x^2(x-1)$$

$f'(x)=0$에서 $x=0$ 또는 $x=1$ ......❹

함수 $f(x)$의 증가, 감소를 표로 나타내면 다음과 같다.

x	$\cdots$	0	$\cdots$	1	$\cdots$
$f'(x)$	$-$	0	$-$	0	$+$
$f(x)$	$\searrow$	1	$\searrow$	0	$\nearrow$

함수 $f(x)$는 $x=1$에서
최솟값 0을 가지므로 모든 실수 x에 대하여 $f(x)\geq 0$
따라서 모든 실수 x에 대하여 부등식
$3x^4-4x^3+1\geq 0$이 성립한다.

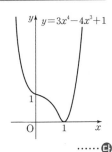

......❺

채점 기준	배점
㉮ 부등식 정리하기	2점
㉯ $x=0$ 또는 $x=1$ 구하기	2점
㉰ 부등식이 성립함을 보이기	2점

21 $f'(x)=\begin{cases} 3x^2 & (x\leq 1) \\ 2x-1 & (x>1) \end{cases}$ 에서

$f(x)=\displaystyle\int f'(x)\,dx$

$\qquad =\begin{cases} x^3+C_1 & (x\leq 1) \\ x^2-x+C_2 & (x>1) \end{cases}$ ......㉮

함수 $f(x)$가 모든 실수 x에 대하여 연속이므로 $x=1$에서도 연속이다.

즉, $f(1)=\displaystyle\lim_{x\to 1-}f(x)=\lim_{x\to 1+}f(x)$이므로

$1+C_1=1-1+C_2$

$\therefore C_2=C_1+1$ ......㉠

또 $f(0)=3$이므로 $C_1=3$

$C_1=3$을 ㉠에 대입하면 $C_2=4$ ......㉯

$\therefore f(x)=\begin{cases} x^3+3 & (x\leq 1) \\ x^2-x+4 & (x>1) \end{cases}$

$\therefore f(2)=4-2+4=6$ ......㉰

채점 기준	배점
㉮ $f(x)$ 구하기	2점
㉯ C_1, C_2 구하기	2점
㉰ 답 구하기	2점

22 t분 후의 선분 PQ의 중점 M의 좌표를 x라 하면

$x=\dfrac{x_1+x_2}{2}=\dfrac{(2t^3-11t^2)+(3t^2+8t)}{2}=t^3-4t^2+4t$

t분 후의 세 점 P, Q, M의 속도를 각각 v_P, v_Q, v_M이라 하면

$v_P=\dfrac{dx_1}{dt}=6t^2-11t=t(6t-11)$

$v_Q=\dfrac{dx_2}{dt}=6t+8=2(3t+4)$

$v_M=\dfrac{dx}{dt}=3t^2-8t+4$ ......㉮

한편, 움직이는 방향을 바꿀 때의 속도는 0이므로

$v_P=0$에서 $t(6t-11)=0$ $\quad\therefore t=\dfrac{11}{6}(\because t>0)$

$v_Q=0$에서 $2(3t+4)=0$ $\quad\therefore t=-\dfrac{4}{3}$

$t>0$이므로 주어진 조건을 만족시키는 t의 값은 존재하지 않는다.

$v_M=0$에서 $3t^2-8t+4=0$

$(3t-2)(t-2)=0$

$\therefore t=\dfrac{2}{3}$ 또는 $t=2$ ......㉯

즉, 점 P는 $t=\dfrac{11}{6}$일 때 움직이는 방향을 한 번 바꾸므로 $a=1$,

점 Q는 움직이는 방향을 바꾸지 않으므로 $b=0$,

점 M은 $t=\dfrac{2}{3}$, $t=2$일 때 움직이는 방향을 두 번 바꾸므로

$c=2$

$\therefore a+b+c=1+0+2=3$ ......㉰

채점 기준	배점
㉮ v_P, v_Q, v_M 구하기	3점
㉯ $v_P=0$, $v_Q=0$, $v_M=0$일 때의 t의 값 구하기	3점
㉰ 답 구하기	2점

23 $y=x^2$에서 $y'=2x$

$y=-x^2$에서 $y'=-2x$

즉, 두 점 P, Q에서의 접선의 기울기는 각각 $2a$, $-2a$이고, 이 두 접선이 수직으로 만나려면

$2a\times(-2a)=-1$에서 $a^2=\dfrac{1}{4}$

$\therefore a=\dfrac{1}{2}(\because a>0)$ ......㉮

$\therefore P\left(\dfrac{1}{2}, \dfrac{1}{4}\right)$, $Q\left(\dfrac{1}{2}, -\dfrac{1}{4}\right)$

한편, 접선의 방정식은 각각

$y-\dfrac{1}{4}=\left(x-\dfrac{1}{2}\right)$, $y+\dfrac{1}{4}=-\left(x-\dfrac{1}{2}\right)$

$\therefore y=x-\dfrac{1}{4}$, $y=-x+\dfrac{1}{4}$ ......㉯

점 R의 x좌표는

$x-\dfrac{1}{4}=-x+\dfrac{1}{4}$에서 $2x=\dfrac{1}{2}$

$\therefore x=\dfrac{1}{4}$ ......㉰

따라서 구하는 넓이 S는

$S=2\displaystyle\int_0^{\frac{1}{2}}x^2\,dx-\triangle PQR$

$\quad =2\left[\dfrac{1}{3}x^3\right]_0^{\frac{1}{2}}-\dfrac{1}{2}\times\dfrac{1}{2}\times\dfrac{1}{4}$

$\quad =\dfrac{1}{12}-\dfrac{1}{16}=\dfrac{1}{48}$

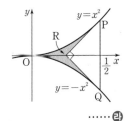

......㉱

채점 기준	배점
㉮ $a=\dfrac{1}{2}$ 구하기	2점
㉯ 접선의 방정식 구하기	2점
㉰ $x=\dfrac{1}{4}$ 구하기	2점
㉱ 답 구하기	2점

20○○학년도 2학년 기말고사(5회)

01 ⑤	02 ①	03 ④	04 ⑤	05 ③
06 ⑤	07 ⑤	08 ①	09 ②	10 ③
11 ④	12 ②	13 ④	14 ③	15 ②
16 ①	17 ④	18 ①	19 4	20 7
21 40	22 10	23 −4		

01 $F(x)=3x^2+x+2$라 하면

$f(x)=F'(x)=6x+1$

$\therefore f(3)=18+1=19$

02 $\int_0^2 (x^2+2kx+5)\,dx=\left[\frac{1}{3}x^3+kx^2+5x\right]_0^2$

$=\frac{8}{3}+4k+10$

$=\frac{2}{3}$

$4k=-12$

$\therefore k=-3$

03 $f(x)=x^3+ax^2+bx+1$에서 $f'(x)=3x^2+2ax+b$

함수 $f(x)$가 $x<-1$ 또는 $x>2$에서 증가하고, $-1<x<2$에서 감소하므로 이차방정식 $f'(x)=0$의 두 근이 -1, 2이다.

따라서 이차방정식의 근과 계수의 관계에 의하여

$-1+2=-\frac{2a}{3}$, $(-1)\times 2=\frac{b}{3}$

$\therefore a=-\frac{3}{2}$, $b=-6$

$\therefore ab=9$

04 $f(x)=3x^4-8x^3+6ax^2+7$에서

$f'(x)=12x^3-24x^2+12ax=12x(x^2-2x+a)$

함수 $f(x)$가 극댓값과 극솟값을 모두 가지려면 방정식 $f'(x)=0$이 서로 다른 세 실근을 가져야 하므로 이차방정식 $x^2-2x+a=0$은 0이 아닌 서로 다른 두 실근을 가져야 한다.

(i) $g(x)=x^2-2x+a$로 놓으면 $g(x)=0$은 0을 제외한 근을 가져야 하므로

$g(0)\neq 0$에서 $a\neq 0$

(ii) 방정식 $x^2-2x+a=0$의 판별식을 D라 하면

$\frac{D}{4}=1-a>0 \quad \therefore a<1$

(i), (ii)에서 $a<0$ 또는 $0<a<1$

핵심 포인트

사차함수가 극값을 가질 조건

(1) 사차함수 $y=f(x)$가 극댓값, 극솟값을 모두 갖는다.
➡ 삼차방정식 $f'(x)=0$이 서로 다른 세 실근을 갖는다.

(2) 사차함수 $y=f(x)$가 극댓값을 갖지 않는다.(극솟값을 갖지 않는다.) ➡ 삼차방정식 $f'(x)=0$이 한 실근과 두 허근 또는 한 실근과 중근 (또는 삼중근)을 갖는다.

05 점 P의 시각 t에서의 속도를 v라 하면

$v=\frac{dx}{dt}=6t^2-6t-5$

속도가 7인 순간은

$6t^2-6t-5=7$에서 $6(t^2-t-2)=0$

$6(t+1)(t-2)=0$

$\therefore t=2\ (\because t>0)$

점 P의 시각 t에서의 가속도를 a라 하면

$a=\frac{dv}{dt}=12t-6$

따라서 $t=2$에서의 가속도는

$12\times 2-6=18$

06 t초 후의 높이를 $x(t)$ m라 하면

$x(t)=\int_0^t (-10t+50)dt$

$=\left[-5t^2+50t\right]_0^t$

$=-5t^2+50t$

물체가 지면에 닿는 순간의 높이는 0 m이므로

$-5t^2+50t=0$, $t(t-10)=0$

$\therefore t=10$

따라서 10초일 때 물체가 지면에 닿으므로 그 순간의 속도는

$v(10)=(-10)\times 10+50=-50$ (m/s)

07 $f'(x)=0$에서 $x=\alpha$ 또는 $x=\beta$

함수 $f(x)$의 증가, 감소를 표로 나타내면 다음과 같다.

x	$\cdots$	α	$\cdots$	β	$\cdots$
$f'(x)$	+	0	−	0	+
$f(x)$	↗	3	↘	−2	↗

따라서 함수 $y=f(x)$의 그래프는 그림과 같다.

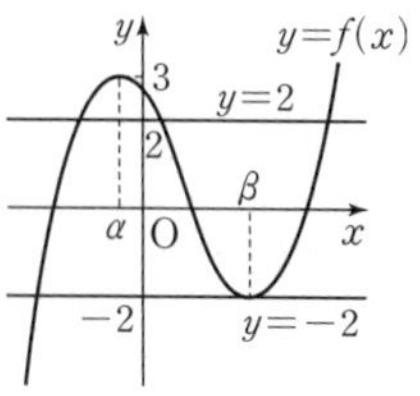

$\{f(x)\}^2=4$에서 $\{f(x)\}^2-4=0$

$\{f(x)+2\}\{f(x)-2\}=0$

$\therefore f(x)=-2$ 또는 $f(x)=2$

그림에서 방정식 $f(x)=-2$의 실근은 2개, 방정식 $f(x)=2$의 실근은 3개이므로 서로 다른 실근의 개수는 모두 5이다.

08 주어진 두 곡선이 서로 다른 세 점에서 만나려면 삼차방정식

$x^3+3x^2+4=\frac{9}{2}x^2+6x+4a$가 서로 다른 세 실근을 가져야 한다.

$f(x)=x^3+3x^2+4-\left(\frac{9}{2}x^2+6x+4a\right)$

$=x^3-\frac{3}{2}x^2-6x+4-4a$

로 놓으면

$f'(x)=3x^2-3x-6=3(x+1)(x-2)$

$f'(x)=0$에서 $x=-1$ 또는 $x=2$

함수 $f(x)$의 증가, 감소를 표로 나타내면 다음과 같다.

x	$\cdots$	-1	$\cdots$	2	$\cdots$
$f'(x)$	$+$	0	$-$	0	$+$
$f(x)$	$\nearrow$	$\dfrac{15}{2}-4a$	$\searrow$	$-6-4a$	$\nearrow$

방정식 $f(x)=0$이 서로 다른 세 실근을 가지려면
(극댓값)×(극솟값)<0이어야 하므로

$$f(-1)f(2)=\left(\frac{15}{2}-4a\right)(-6-4a)<0$$

$$16\left(a+\frac{3}{2}\right)\left(a-\frac{15}{8}\right)<0$$

$$\therefore -\frac{3}{2}<a<\frac{15}{8}$$

따라서 $M=\dfrac{15}{8}$, $m=-\dfrac{3}{2}$이므로

$$\frac{M}{m}=\frac{\frac{15}{8}}{-\frac{3}{2}}=\frac{15}{8}\times\left(-\frac{2}{3}\right)=-\frac{5}{4}$$

09 임의의 두 실수 x_1, x_2에 대하여 $f(x_1)\geq g(x_2)$이려면
$f(x)$의 최솟값이 $g(x)$의 최댓값보다 크거나 같아야 한다.
$f(x)=x^4-2a^2x^2+5$에서
$f'(x)=4x^3-4a^2x=4x(x^2-a^2)=4x(x+a)(x-a)$
$f'(x)=0$에서 $x=-a$ 또는 $x=0$ 또는 $x=a$
함수 $f(x)$의 증가, 감소를 표로 나타내면 다음과 같다.

x	$\cdots$	$-a$ 또는 a	$\cdots$	0	$\cdots$	a 또는 $-a$	$\cdots$
$f'(x)$	$-$	0	$+$	0	$-$	0	$+$
$f(x)$	$\searrow$	$-a^4+5$	$\nearrow$	5	$\searrow$	$-a^4+5$	$\nearrow$

함수 $f(x)$의 최솟값은
$f(-a)=f(a)=-a^4+5$
한편,
$g(x)=-x^2+2ax-2a^2-7$
$\quad=-(x-a)^2-a^2-7$
이므로 함수 $g(x)$의 최댓값은
$g(a)=-a^2-7$
즉, $-a^4+5\geq -a^2-7$이므로
$a^4-a^2-12\leq 0$, $(a^2+3)(a^2-4)\leq 0$
그런데 $a^2+3>0$이므로 $a^2-4\leq 0$
$(a+2)(a-2)\leq 0$ $\quad\therefore 0<a\leq 2$ $(\because a>0)$
따라서 양의 정수 a의 개수는 1, 2의 2이다.

10 도함수 $y=f'(x)$는 이차함수이고, $f'(x)=0$의 해가 $x=0$ 또는 $x=2$이므로
$f'(x)=ax(x-2)$ $(a>0)$라 하면

$$f(x)=\int ax(x-2)\,dx$$

$$\quad=\int (ax^2-2ax)\,dx$$

$$\quad=\frac{a}{3}x^3-ax^2+C$$

함수 $y=f(x)$의 증가, 감소를 표로 나타내면 다음과 같다.

x	$\cdots$	0	$\cdots$	2	$\cdots$
$f'(x)$	$+$	0	$-$	0	$+$
$f(x)$	$\nearrow$	극대	$\searrow$	극소	$\nearrow$

함수 $y=f(x)$는 $x=0$에서 극대, $x=2$에서 극소이므로
$f(0)=5$에서 $C=5$
$f(2)=1$에서 $\dfrac{8}{3}a-4a+C=1$

$$\therefore -\frac{4}{3}a+C=1 \quad \cdots\cdots \text{㉠}$$

$C=5$를 ㉠에 대입하면 $a=3$
따라서 $f(x)=x^3-3x^2+5$이므로
$f(1)=1-3+5=3$

11 곡선 $y=x^2-3x+4$와 직선
$y=2x$의 교점의 x좌표는
$x^2-3x+4=2x$에서
$x^2-5x+4=0$
$(x-1)(x-4)=0$
$\therefore x=1$ 또는 $x=4$
따라서 구하는 넓이 S는

$$S=\int_1^4 \{2x-(x^2-3x+4)\}\,dx$$

$$\quad=\int_1^4 (-x^2+5x-4)\,dx$$

$$\quad=\left[-\frac{1}{3}x^3+\frac{5}{2}x^2-4x\right]_1^4$$

$$\quad=\frac{9}{2}$$

$$\therefore 2S=9$$

12 그림과 같이 원뿔의 높이를 h라 하고, 원기둥의 밑면의 반지름의 길이를 a, 원기둥의 높이를 y라 하면
$\triangle ABC \backsim \triangle AOD$이므로
$(h-y):a=h:1$
$\therefore y=h(1-a)$
원기둥의 부피를 $f(a)$라 하면
$f(a)=\pi a^2 h(1-a)=\pi h(a^2-a^3)$ $(0<a<1)$

$$f'(a)=\pi h(2a-3a^2)=-3\pi ha\left(a-\frac{2}{3}\right)$$

$f'(a)=0$에서 $a=0$ 또는 $a=\dfrac{2}{3}$

$0<a<1$에서 함수 $y=f(a)$의 증가, 감소를 표로 나타내면 다음과 같다.

a	(0)	$\cdots$	$\dfrac{2}{3}$	$\cdots$	(1)
$f'(a)$		$+$	0	$-$	
$f(a)$		$\nearrow$	극대	$\searrow$	

따라서 원기둥의 부피는 $a=\dfrac{2}{3}$일 때 최대이므로 부피가 최대가 되도록 하는 원기둥의 밑면의 반지름의 길이는 $a=\dfrac{2}{3}$이다.

$$\therefore 3a=2$$

13 주어진 식의 양변에 $x=2$를 대입하면

$0=8-12+2a+b$

$\therefore 2a+b=4$ ······ ㉠

주어진 식의 양변을 x에 대하여 미분하면

$f(x)=3x^2-2x+a$

$f(1)=3-2+a=2$

$\therefore a=1$

$a=1$을 ㉠에 대입하면 $b=2$이므로

$a+b=1+2=3$

14 $f(x)=|x-2|+|x-4|$라 하면 그래프는 그림과 같다.

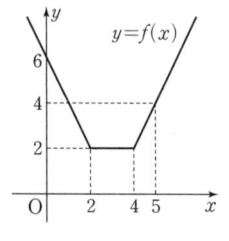

$\int_0^5 (|x-2|+|x-4|)\,dx$

$=\int_0^2 \{-(x-2)-(x-4)\}dx+\int_2^4 \{(x-2)-(x-4)\}dx$

$\qquad\qquad +\int_4^5 \{(x-2)+(x-4)\}dx$

$=\int_0^2 (-2x+6)\,dx+\int_2^4 2\,dx+\int_4^5 (2x-6)\,dx$

$=\Big[-x^2+6x\Big]_0^2+\Big[2x\Big]_2^4+\Big[x^2-6x\Big]_4^5$

$=8+4+\{(-5)-(-8)\}$

$=15$

15 $f(3+x)=f(3-x)$에서 함수 $f(x)$의 그래프는 직선 $x=3$에 대하여 대칭이므로

$\int_6^9 f(x)dx=\int_{-3}^0 f(x)dx=3$

$\int_3^6 f(x)dx=\int_3^9 f(x)dx-\int_6^9 f(x)dx$

$\qquad\qquad =10-3=7$

$\therefore \int_0^6 f(x)dx=2\int_3^6 f(x)dx=14$

[참고]

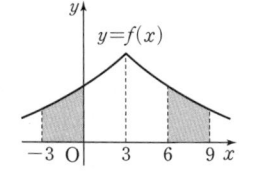

16 $F(x)=\int_0^{x-3}\{(t^2-1)f(t)+5\}dt$로 놓으면

$F(3)=0$

위의 식의 양변을 x에 대하여 미분하면

$F'(x)=\{(x-3)^2-1\}f(x-3)+5$

$\therefore \lim_{x\to 3}\dfrac{1}{x-3}\int_0^{x-3}\{(t^2-1)f(t)+5\}dt$

$=\lim_{x\to 3}\dfrac{F(x)-F(3)}{x-3}$

$=F'(3)=-f(0)+5$

$=-4+5=1$

 핵심 포인트

정적분으로 정의된 함수의 극한

(1) $\displaystyle\lim_{x\to a}\dfrac{1}{x-a}\int_a^x f(t)dt=f(a)$

(2) $\displaystyle\lim_{x\to 0}\dfrac{1}{x}\int_a^{x+a} f(t)dt=f(a)$

17 $f'(x)=xg(x)$, $f'(x)-g'(x)=4x^3+2x$이므로

$xg(x)-g'(x)=4x^3+2x$

함수 $y=g(x)$가 다항함수이면서 이를 만족시키려면 최고차항의 계수가 4인 이차함수이어야 한다.

$g(x)=4x^2+ax+b$ (a, b는 상수)라 하면

$g'(x)=8x+a$이므로

$x(4x^2+ax+b)-(8x+a)=4x^3+2x$

$4x^3+ax^2+(b-8)x-a=4x^3+2x$에서

$a=0$, $b=10$이므로 $g(x)=4x^2+10$

$\therefore g(-1)=4+10=14$

18 $f(x)=\begin{cases} -1 & (x<1) \\ -x+2 & (x\geq 1) \end{cases}$에 대하여

(i) $x<1$일 때,

$g(x)=\int_{-1}^x (t-1)f(t)dt$

$\qquad =\int_{-1}^x (t-1)\times(-1)dt$

$\qquad =\int_{-1}^x (-t+1)dt=\Big[-\dfrac{1}{2}t^2+t\Big]_{-1}^x$

$\qquad =\Big(-\dfrac{1}{2}x^2+x\Big)-\Big(-\dfrac{1}{2}-1\Big)$

$\qquad =-\dfrac{1}{2}x^2+x+\dfrac{3}{2}$

(ii) $x\geq 1$일 때,

$g(x)=\int_{-1}^x (t-1)f(t)dt$

$\qquad =\int_{-1}^1 (t-1)\times(-1)dt+\int_1^x (t-1)(-t+2)dt$

$\qquad =\int_{-1}^1 (-t+1)dt+\int_1^x (-t^2+3t-2)dt$

$\qquad =\Big[-\dfrac{1}{2}t^2+t\Big]_{-1}^1+\Big[-\dfrac{1}{3}t^3+\dfrac{3}{2}t^2-2t\Big]_1^x$

$\qquad =\Big\{\Big(-\dfrac{1}{2}+1\Big)-\Big(-\dfrac{1}{2}-1\Big)\Big\}$

$\qquad\quad +\Big\{\Big(-\dfrac{1}{3}x^3+\dfrac{3}{2}x^2-2x\Big)-\Big(-\dfrac{1}{3}+\dfrac{3}{2}-2\Big)\Big\}$

$\qquad =2+\Big(-\dfrac{1}{3}x^3+\dfrac{3}{2}x^2-2x+\dfrac{5}{6}\Big)$

$\qquad =-\dfrac{1}{3}x^3+\dfrac{3}{2}x^2-2x+\dfrac{17}{6}$

$x \geq 1$일 때, $g(x) = -\dfrac{1}{3}x^3 + \dfrac{3}{2}x^2 - 2x + \dfrac{17}{6}$이고

$g'(x) = -x^2 + 3x - 2 = -(x-1)(x-2)$

$g'(x) = 0$에서 $x=1$ 또는 $x=2$

$x \geq 1$에서 함수 $g(x)$의 증가, 감소를 조사하면 다음과 같다.

x	1	⋯	2	⋯
$g'(x)$	0	+	0	−
$g(x)$	2	↗	$\dfrac{13}{6}$	↘

한편, $x<1$일 때, $g(x) = -\dfrac{1}{2}x^2 + x + \dfrac{3}{2}$이므로 함수

$y=g(x)$의 그래프는 그림과 같다.

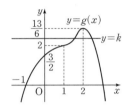

따라서 함수 $y=g(x)$의 그래프와 직선 $y=k$가 만나는 점의 개수를 각각 구하면 된다.

$N(1)=2,\ N(2)=2,\ N(3)=0,\ N(4)=0$

$\therefore N(1) + N(2) + N(3) + N(4) = 4$

19 함수 $f(x) = -x^2 + ax - 7$은 닫힌구간 $[1, 3]$에서 롤의 정리를 만족시키는 실수 2가 존재하므로

$f'(x) = -2x + a$에서

$f'(2) = -4 + a = 0$ ⋯⋯㉮

$\therefore a=4$ ⋯⋯㉯

채점 기준	배점
㉮ $f'(2)=0$의 식 세우기	3점
㉯ 답 구하기	3점

20 $f(x) = -x^3 + ax^2 + bx + 3$에서 $f'(x) = -3x^2 + 2ax + b$

함수 $y=f(x)$가 $x=0$, $x=2$에서 극값을 가지므로

$f'(0) = b = 0$ ⋯⋯㉮

$f'(2) = -12 + 4a = 0$　　$\therefore a=3$ ⋯⋯㉯

따라서 $f(x) = -x^3 + 3x^2 + 3$이므로

$f(2) = -8 + 12 + 3 = 7$ ⋯⋯㉰

채점 기준	배점
㉮ $b=0$ 구하기	2점
㉯ $a=3$ 구하기	2점
㉰ 답 구하기	2점

21 $\displaystyle\int_0^1 f(t)\,dt = k$ (k는 상수)로 놓으면

$\displaystyle\int_0^x f(t)\,dt = x^3 - 4x^2 - 2kx$

양변에 $x=1$을 대입하면

$\displaystyle\int_0^1 f(t)\,dt = 1 - 4 - 2k,\ k = -3 - 2k$

$\therefore k = -1$ ⋯⋯㉮

따라서 $\displaystyle\int_0^x f(t)\,dt = x^3 - 4x^2 + 2x$이므로 양변을 x에 대하여 미분하면

$f(x) = 3x^2 - 8x + 2$ ⋯⋯㉯

$\therefore f(0) = a = 2$

$\therefore 20a = 20 \times 2 = 40$ ⋯⋯㉰

채점 기준	배점
㉮ $k=-1$ 구하기	2점
㉯ $f(x)=3x^2-8x+2$ 구하기	2점
㉰ 답 구하기	2점

22 $y=f(x)$의 그래프와 직선 $y=x$의

교점의 x좌표는

$x^3 - 6 = x$에서

$x^3 - x - 6 = 0$

$(x-2)(x^2 + 2x + 3) = 0$

$\therefore x = 2$ ⋯⋯㉮

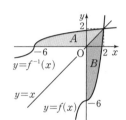

두 함수 $y=f(x)$, $y=f^{-1}(x)$의

그래프는 직선 $y=x$에 대하여 대칭이므로 $y=f^{-1}(x)$의 그래프와 두 직선 $y=x$, $y=0$으로 둘러싸인 부분 A의 넓이는 $y=f(x)$의 그래프와 두 직선 $y=x$, $x=0$으로 둘러싸인 부분 B의 넓이와 같다. ⋯⋯㉯

따라서 구하는 넓이는

$\displaystyle\int_0^2 \{x - (x^3 - 6)\}\,dx = \int_0^2 (-x^3 + x + 6)\,dx$

$\qquad = \left[-\dfrac{1}{4}x^4 + \dfrac{1}{2}x^2 + 6x \right]_0^2$

$\qquad = -4 + 2 + 12 = 10$ ⋯⋯㉰

채점 기준	배점
㉮ $y=f(x)$의 그래프와 $y=x$의 교점의 x좌표 구하기	3점
㉯ A의 넓이$=B$의 넓이임을 이용하기	3점
㉰ 답 구하기	2점

23 $f(x) = ax^3 + bx^2 + cx + d$ ($a \neq 0$)로 놓으면

$f'(x) = 3ax^2 + 2bx + c$

(가)에서

$-ax^3 + bx^2 - cx + d = -ax^3 - bx^2 - cx - d$

$2bx^2 + 2d = 0$　　$\therefore b = 0,\ d = 0$ ⋯⋯㉮

즉, $f(x) = ax^3 + cx$, $f'(x) = 3ax^2 + c$

(나)에서

$f(1) = a + c = 2$　　$\therefore c = 2 - a$ ⋯⋯㉠

(다)에서

$f'(1) = 3a + c$이므로

$-2 < 3a + c < 4$ ⋯⋯㉡ ⋯⋯㉯

㉠을 ㉡에 대입하면

$-2 < 2a + 2 < 4,\ -4 < 2a < 2$

$\therefore -2 < a < 1$

a는 0이 아닌 정수이므로 $a = -1$

$a = -1$을 ㉠에 대입하면 $c = 3$ ⋯⋯㉰

즉, $f(x) = -x^3 + 3x$이므로

$f'(x)=-3x^2+3=-3(x^2-1)$

$\qquad\qquad =-3(x+1)(x-1)$

$f'(x)=0$에서 $x=-1$ 또는 $x=1$

x	$\cdots$	-1	$\cdots$	1	$\cdots$
$f'(x)$	$-$	0	$+$	0	$-$
$f(x)$	$\searrow$	-2	$\nearrow$	2	$\searrow$

따라서 함수 $f(x)$의 극댓값 $M=2$, 극솟값 $m=-2$이므로

$Mm=-4$ $\qquad\qquad\qquad\cdots\cdots$ 라

채점 기준	배점
㉮ $b=0$, $d=0$ 구하기	2점
㉯ ㉠, ㉡의 식 구하기	2점
㉰ $a=-1$, $c=3$ 구하기	2점
㉱ 답 구하기	2점

20○○학년도 2학년 기말고사(6회)

01 ④	02 ⑤	03 ①	04 ①	05 ②
06 ④	07 ①	08 ②	09 ③	10 ③
11 ④	12 ⑤	13 ④	14 ①	15 ②
16 ⑤	17 ⑤	18 ③	19 2	20 $-\dfrac{93}{2}$
21 6	22 $\dfrac{118}{3}$	23 4		

01 $\displaystyle\int_1^3 (8x^3+4x)\,dx=\Big[2x^4+2x^2\Big]_1^3$

$\qquad\qquad\qquad\qquad\quad =180-4=176$

02 $f(x)=2x^3-12x^2+ax+5$에서 $f'(x)=6x^2-24x+a$

함수 $f(x)$가 $x=1$에서 극댓값 M을 가지므로

$f'(1)=6-24+a=0$ $\quad\therefore a=18$

즉, $f(x)=2x^3-12x^2+18x+5$이므로

$M=f(1)=2-12+18+5=13$

$\therefore a-M=18-13=5$

03 $f'(x)=ax(x-2)$ $(a>0)$라 하면

$f'(1)=-6$이므로 $a=6$

$\therefore f'(x)=6x^2-12x$

$\therefore f(x)=\displaystyle\int(6x^2-12x)\,dx=2x^3-6x^2+C$

(단, C는 적분상수)

$f(1)=3$이므로 $2-6+C=3$

$\therefore C=7$

따라서 $f(x)=2x^3-6x^2+7$이므로

$f(2)=16-24+7=-1$

04 임의의 두 실수 x_1, x_2에 대하여 $x_1 \ne x_2$이면 $f(x_1) \ne f(x_2)$를 만족시키는 함수는 일대일함수이고, 함수 $y=f(x)$의 최고차항의 계수가 양수이므로 함수 $y=f(x)$는 실수 전체의 집합에서 증가한다.

즉, 모든 실수 x에 대하여 $f'(x)\ge 0$이어야 하므로

$f(x)=2x^3-x^2+kx+3$에서 $f'(x)=6x^2-2x+k\ge 0$

이차방정식 $f'(x)=0$의 판별식을 D라 하면

$\dfrac{D}{4}=1-6k\le 0$ $\quad\therefore k\ge\dfrac{1}{6}$

따라서 상수 k의 최솟값은 $\dfrac{1}{6}$이다.

05 두 함수 $f(x)=-x^4+4x-a$, $g(x)=x^2-2x+a$의 그래프가 오직 한 점에서 만나므로 방정식 $f(x)=g(x)$, 즉 $x^4+x^2-6x+2a=0$이 오직 하나의 실근을 갖는다.

$h(x)=x^4+x^2-6x+2a$라 하면

$h'(x)=4x^3+2x-6=2(x-1)(2x^2+2x+3)$

$h'(x)=0$에서 $x=1$이므로 $h(x)$는 $x=1$에서 극소이면서 최소이다.

그런데 방정식 $h(x)=0$이 오직 하나의 실근을 가지므로
$y=h(x)$의 그래프는 그림과 같이 x축
과 한 점에서 만나야 한다.

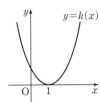

따라서 $h(1)=0$이므로
$1+1-6+2a=0$, $2a=4$
$\therefore a=2$

[다른 풀이]
$y=f(x)$와 $y=g(x)$의 그래프가 오직 한 점에서 만나므로 두 곡선은 공통접선을 갖는다.
즉, 교점의 x좌표를 t라 하면 $f'(t)=g'(t)$, $f(t)=g(t)$가 성립한다.
$f'(t)=g'(t)$에서
$-4t^3+4=2t-2$, $4t^3+2t-6=0$
$2(t-1)(2t^2+2t+3)=0$ $\therefore t=1$
$f(t)=g(t)$에서 $f(1)=g(1)$이므로
$-1+4-a=1-2+a$, $2a=4$
$\therefore a=2$

06 주어진 두 곡선이 서로 다른 두 점에서 만나려면 삼차방정식
$x^3-3x^2+x=3x^2-8x+a$가 서로 다른 두 실근을 가져야 한다.
$f(x)=x^3-3x^2+x-(3x^2-8x+a)$
$\qquad =x^3-6x^2+9x-a$
로 놓으면
$f'(x)=3x^2-12x+9=3(x-1)(x-3)$
$f'(x)=0$에서 $x=1$ 또는 $x=3$
함수 $f(x)$의 증가, 감소를 표로 나타내면 다음과 같다.

x	$\cdots$	1	$\cdots$	3	$\cdots$
$f'(x)$	$+$	0	$-$	0	$+$
$f(x)$	$\nearrow$	$4-a$	$\searrow$	$-a$	$\nearrow$

방정식 $f(x)=0$이 서로 다른 두 실근을 가지려면
(극댓값)$\times$(극솟값)$=0$이어야 하므로
$f(1)f(3)=-a(4-a)=0$
$\therefore a=4$ ($\because a>0$)

핵심 포인트

삼차방정식의 근의 판별
삼차함수 $f(x)=ax^3+bx^2+cx+d$가 극값을 가질 때,
삼차방정식 $ax^3+bx^2+cx+d=0$의 근은
(1) (극댓값)$\times$(극솟값)<0 $\Longleftrightarrow$ 서로 다른 세 실근
(2) (극댓값)$\times$(극솟값)$=0$ $\Longleftrightarrow$ 한 실근과 중근
$\qquad\qquad\qquad\qquad\qquad$ (서로 다른 두 실근)
(3) (극댓값)$\times$(극솟값)>0 $\Longleftrightarrow$ 한 실근과 두 허근

---

07 $x^4+x^2-8x\geq -2x^2-18x+a$에서
$x^4+3x^2+10x-a\geq 0$
$f(x)=x^4+3x^2+10x-a$로 놓으면
$f'(x)=4x^3+6x+10$
$\qquad =2(x+1)(2x^2-2x+5)$

$2x^2-2x+5=2\left(x-\dfrac{1}{2}\right)^2+\dfrac{9}{2}>0$이므로
$f'(x)=0$에서 $x=-1$
함수 $f(x)$의 증가, 감소를 표로 나타내면 다음과 같다.

x	$\cdots$	-1	$\cdots$
$f'(x)$	$-$	0	$+$
$f(x)$	$\searrow$	극소	$\nearrow$

즉, $x=-1$일 때, $f(x)$는 극소이고 최소이다.
그런데 모든 실수 x에 대하여 $f(x)\geq 0$이려면 최솟값이 0보다 크거나 같아야 하므로
$f(-1)=-6-a\geq 0$
$\therefore a\leq -6$

08 점 P의 시각 t에서의 속도를 v라 하면
$v=\dfrac{dx}{dt}=3t^2-4$ $\cdots\cdots\bigcirc$

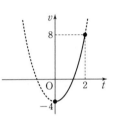

$0\leq t\leq 2$에서 $\bigcirc$의 그래프는 그림과 같으므로
$-4\leq v\leq 8$ $\therefore 0\leq |v|\leq 8$
따라서 점 P의 속도와 속력의 최댓값은
각각 $a=8$, $b=8$이므로
$a+b=16$

09 t초 후의 A의 위치를 S_A라 하면
$S_A=\displaystyle\int_0^t (3t^2-2t+3)dt=\left[t^3-t^2+3t\right]_0^t=t^3-t^2+3t$
t초 후의 B의 위치를 S_B라 하면
$S_B=\displaystyle\int_0^t (4t+1)dt=\left[2t^2+t\right]_0^t=2t^2+t$
$\therefore S_A-S_B=(t^3-t^2+3t)-(2t^2+t)=t^3-3t^2+2t$
$\qquad\qquad\quad =t(t-1)(t-2)$
따라서 $1<t<2$일 때, $S_A-S_B<0$이므로 B가 A보다 앞서 있다.

10 $f(x)=\displaystyle\int (1+2x+3x^2+\cdots+nx^{n-1})\,dx$
$\qquad\quad =x+x^2+x^3+\cdots+x^n+C$ (단, C는 적분상수)
$f(0)=-2$이므로 $C=-2$
따라서 $f(x)=x+x^2+x^3+\cdots+x^n-2$이므로
$f(2)=2+2^2+2^3+\cdots+2^n-2$
$\qquad =\dfrac{2\times(2^n-1)}{2-1}-2$
$\qquad =2^{n+1}-2-2=2^{n+1}-4$

11 $f(x)=\displaystyle\int_x^{x+1} (t^3+3t)dt$의 양변을 x에 대하여 미분하면
$f'(x)=\{(x+1)^3+3(x+1)\}-(x^3+3x)=3x^2+3x+4$
$\therefore \displaystyle\int_1^3 f'(x)dx=\int_1^3 (3x^2+3x+4)dx$
$\qquad\qquad\qquad =\left[x^3+\dfrac{3}{2}x^2+4x\right]_1^3$
$\qquad\qquad\qquad =\left(27+\dfrac{27}{2}+12\right)-\left(1+\dfrac{3}{2}+4\right)$
$\qquad\qquad\qquad =46$

12 $f(t)$의 한 부정적분을 $F(t)$라 하면

$$\lim_{x \to 1} \frac{1}{x-1} \int_x^1 f(t)dt = \lim_{x \to 1} \frac{-1}{x-1} \int_1^x f(t)dt$$

$$= \lim_{x \to 1} \frac{F(x)-F(1)}{x-1} \times (-1)$$

$$= -F'(1) = -f(1)$$

$$= -(1-3+3-5) = 4$$

13 그림에서 어두운 두 도형의 넓이가 같으므로

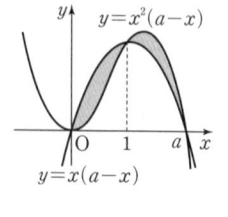

$$\int_0^a \{x(a-x) - x^2(a-x)\}dx$$

$$= \int_0^a \{x^3 - (a+1)x^2 + ax\}dx$$

$$= \left[\frac{1}{4}x^4 - \frac{1}{3}(a+1)x^3 + \frac{1}{2}ax^2 \right]_0^a$$

$$= \frac{1}{6}a^3 - \frac{1}{12}a^4 = 0$$

$$2a^3 - a^4 = 0, \ a^3(2-a) = 0$$

$$\therefore a = 2 \ (\because a > 1)$$

14 $f'(x) = x + |x-1| = \begin{cases} 2x-1 & (x \geq 1) \\ 1 & (x < 1) \end{cases}$ 에서

$$f(x) = \begin{cases} x^2 - x + C_1 & (x \geq 1) \\ x + C_2 & (x < 1) \end{cases} \text{ (단, } C_1, C_2 \text{는 적분상수)}$$

이때, $f(0) = 0$이므로 $C_2 = 0$

$x = 1$에서 $f(x)$가 연속이므로

$$1 - 1 + C_1 = 1 + C_2 \quad \therefore C_1 = 1$$

$$\therefore f(x) = \begin{cases} x^2 - x + 1 & (x \geq 1) \\ x & (x < 1) \end{cases}$$

$$\therefore f(3) = 9 - 3 + 1 = 7$$

15 $\sum_{n=0}^{a} \int_n^{n+1} f(x)dx$

$$= \int_0^1 f(x)dx + \int_1^2 f(x)dx + \cdots + \int_a^{a+1} f(x)dx$$

$$= \int_0^{a+1} f(x)dx$$

$$= \int_0^{a+1} (2x-5)\,dx$$

$$= \left[x^2 - 5x \right]_0^{a+1}$$

$$= (a+1)^2 - 5(a+1)$$

$$= a^2 - 3a - 4$$

즉, $a^2 - 3a - 4 = 14$에서 $a^2 - 3a - 18 = 0$

$$(a+3)(a-6) = 0$$

$$\therefore a = 6 \ (\because a > 0)$$

16 $f(-x) = f(x)$에서 함수 $y = f(x)$의 그래프는 y축에 대하여 대칭이므로

$$\int_0^2 f(x)dx = \int_{-2}^0 f(x)dx = 5$$

$f(x) = f(x+4)$에서 $f(x)$는 주기함수이므로

$$\int_0^2 f(x)dx = \int_{-4}^{-2} f(x)dx = 5$$

$$\therefore \int_{-4}^0 f(x)dx = \int_{-4}^{-2} f(x)dx + \int_{-2}^0 f(x)dx = 5+5 = 10$$

$$\therefore \int_{-4}^8 f(x)dx = \int_{-4}^0 f(x)dx + \int_0^4 f(x)dx + \int_4^8 f(x)dx$$

$$= 3\int_{-4}^0 f(x)dx$$

$$= 3 \times 10 = 30$$

> **핵심 포인트**
>
> **주기함수의 정적분**
>
> 함수 $y = f(x)$가 임의의 실수 x에 대하여
>
> $$f(x+p) = f(x) \ (p \text{는 0이 아닌 상수})$$
>
> 일 때,
>
> (1) $\int_{a+np}^{b+np} f(x)\,dx = \int_a^b f(x)\,dx$ (단, n은 정수이다.)
>
> (2) $\int_a^{a+np} f(x)\,dx = n\int_0^p f(x)\,dx$ (단, n은 정수이다.)

17 함수 $f(x)$는 $x = 1$에서 극댓값 4를 가지므로

$$f(1) = 4, \ f'(1) = 0 \quad \cdots\cdots \ \bigcirc$$

이때, $g(x) = (2x+1)f(x)$에서

$$g'(x) = 2f(x) + (2x+1)f'(x)$$

$\bigcirc$에서

$$g(1) = 3f(1) = 12$$

$$g'(1) = 2f(1) + 3f'(1) = 8$$

따라서 곡선 $y = g(x)$의 $x = 1$인 점, 즉 점 $(1, 12)$에서의 접선의 방정식은

$$y - 12 = 8(x-1)$$

$$\therefore y = 8x + 4$$

이 직선의 x절편이 $-\frac{1}{2}$, y절편이 4이므로 구하는 넓이는

$$\frac{1}{2} \times \frac{1}{2} \times 4 = 1$$

18 $h'(x) = a(x-\alpha)(x-\beta) \ (a < 0)$로 놓으면

$h'(x) = 0$에서 $x = \alpha$ 또는 $x = \beta$

x	$\cdots$	α	$\cdots$	β	$\cdots$
$h'(x)$	$-$	0	$+$	0	$-$
$h(x)$	$\searrow$	극소	$\nearrow$	극대	$\searrow$

ㄱ. $\alpha < x < \beta$일 때, $h'(x) > 0$이므로 $h(x)$는 증가한다. (참)

ㄴ. $h'(\beta) = 0$이고, $x = \beta$에서 $h'(x)$의 부호가 양에서 음으로 바뀌므로 $h(x)$는 $x = \beta$에서 극댓값을 갖는다. (참)

ㄷ. $f(0) = g(0)$에서 $h(0) = 0$이므로 $y = h(x)$의 그래프의 개형은 다음과 같다.

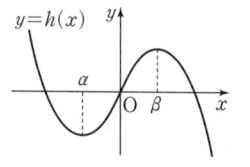

즉, $h(x) = 0$은 서로 다른 세 실근을 갖는다. (거짓)

따라서 옳은 것은 ㄱ, ㄴ이다.

19 함수 $f(x)=x^3-5x^2+7x-3$은 닫힌구간 $[0, 3]$에서 연속이고 열린구간 $(0, 3)$에서 미분가능하고 $f(3)-f(0)=3f'(c)$

에서 $\dfrac{f(3)-f(0)}{3}=f'(c)$이므로 평균값 정리에 의하여

$$\frac{f(3)-f(0)}{3-0}=\frac{0-(-3)}{3-0}=1=f'(c) \qquad \cdots\cdots ㉮$$

인 c가 열린구간 $(0, 3)$에 적어도 하나 존재한다.

$f'(x)=3x^2-10x+7$이므로

$f'(c)=3c^2-10c+7=1$에서

$3c^2-10c+6=0$

$$\therefore c=\frac{5\pm\sqrt{7}}{3} \qquad \cdots\cdots ㉯$$

$0<\dfrac{5-\sqrt{7}}{3}<3$이고 $0<\dfrac{5+\sqrt{7}}{3}<3$이므로

모든 실수 c의 값의 곱은

$$\left(\frac{5+\sqrt{7}}{3}\right)\times\left(\frac{5-\sqrt{7}}{3}\right)=2 \qquad \cdots\cdots ㉰$$

채점 기준	배점
㉮ $\dfrac{f(3)-f(0)}{3-0}=1=f'(c)$ 구하기	2점
㉯ c 구하기	2점
㉰ 답 구하기	2점

20 $f(x)=x^3+ax^2+bx+c$에서

$f'(x)=3x^2+2ax+b$

이때, 함수 $f(x)$가 $x=-2$, $x=3$에서 극값을 가지므로

$f'(-2)=0$에서 $12-4a+b=0$

$\therefore 4a-b=12 \qquad \cdots\cdots ㉠$

$f'(3)=0$에서 $27+6a+b=0$

$\therefore 6a+b=-27 \qquad \cdots\cdots ㉡$

㉠, ㉡을 연립하여 풀면

$$a=-\frac{3}{2}, b=-18 \qquad \cdots\cdots ㉮$$

즉, $f(x)=x^3-\dfrac{3}{2}x^2-18x+c$에서

$f'(x)=3x^2-3x-18$
$\qquad\;\;=3(x^2-x-6)$
$\qquad\;\;=3(x+2)(x-3)$

$f'(x)=0$에서 $x=-2$ 또는 $x=3$

함수 $f(x)$의 증가, 감소를 표로 나타내면 다음과 같다.

x	$\cdots$	-2	$\cdots$	3	$\cdots$
$f'(x)$	$+$	0	$-$	0	$+$
$f(x)$	↗	극대	↘	극소	↗

함수 $f(x)$는 $x=-2$에서 극댓값 16을 가지므로

$f(-2)=-8-6+36+c=16$

$$\therefore c=-6 \qquad \cdots\cdots ㉯$$

따라서 극솟값은

$$f(3)=27-\frac{27}{2}-54-6=-\frac{93}{2} \qquad \cdots\cdots ㉰$$

채점 기준	배점
㉮ $a=-\dfrac{3}{2}$, $b=-18$ 구하기	2점
㉯ $c=-6$ 구하기	2점
㉰ 답 구하기	2점

21 주어진 조건에 의하여 t초 후의 두 선분 AP, BQ의 길이는

각각 $\overline{\text{AP}}=2t$, $\overline{\text{BQ}}=3t$

t초 후의 사각형 DPBQ의 넓이는

$\Box\text{DPBQ}=\Box\text{ABCD}-(\triangle\text{APD}+\triangle\text{QCD})$

$$=20^2-\left\{\frac{1}{2}\times 2t\times 20+\frac{1}{2}\times(20-3t)\times 20\right\}$$

$$=200+10t \qquad \cdots\cdots ㉮$$

$\Box\text{DPBQ}=\dfrac{3}{5}\Box\text{ABCD}$에서

$200+10t=\dfrac{3}{5}\times 20^2$, $10t=40$

$$\therefore t=4 \qquad \cdots\cdots ㉯$$

한편, 삼각형 PBQ의 넓이는

$$\triangle\text{PBQ}=\frac{1}{2}\times(20-2t)\times 3t=30t-3t^2$$

이므로 삼각형 PBQ의 넓이의 시각(초)에 대한 순간변화율은

$$30-6t \qquad \cdots\cdots ㉰$$

따라서 $t=4$일 때, 삼각형 PBQ의 넓이의 시각(초)에 대한 순간변화율은

$$30-6\times 4=6 \qquad \cdots\cdots ㉱$$

채점 기준	배점
㉮ 사각형 DPBQ의 넓이 구하기	2점
㉯ $t=4$ 구하기	2점
㉰ $30-6t$ 구하기	1점
㉱ 답 구하기	1점

22 함수 $y=f(x)$가 $x=-1$에서 미분가능하므로 연속이다.

즉, $\displaystyle\lim_{x\to-1+}f(x)=\lim_{x\to-1-}f(x)=f(-1)$이므로

$\displaystyle\lim_{x\to-1+}(ax^3+2x^2-3)=\lim_{x\to-1-}(x^2+bx)$에서

$-a+2-3=1-b \qquad \therefore a-b=-2 \qquad \cdots\cdots ㉠ \qquad \cdots\cdots ㉮$

또한, $f'(x)=\begin{cases} 3ax^2+4x & (x>-1) \\ 2x+b & (x<-1) \end{cases}$ 이고

함수 $y=f(x)$는 $x=-1$에서 미분가능하므로

$3a-4=-2+b \qquad \therefore 3a-b=2 \qquad \cdots\cdots ㉡ \qquad \cdots\cdots ㉯$

㉠, ㉡을 연립하여 풀면 $a=2$, $b=4$

$$\therefore f(x)=\begin{cases} 2x^3+2x^2-3 & (x\geq-1) \\ x^2+4x & (x<-1) \end{cases}$$

$$\therefore \int_{-3}^{3}f(x)dx=\int_{-3}^{-1}(x^2+4x)\,dx+\int_{-1}^{3}(2x^3+2x^2-3)\,dx$$

$$=\left[\frac{1}{3}x^3+2x^2\right]_{-3}^{-1}+\left[\frac{1}{2}x^4+\frac{2}{3}x^3-3x\right]_{-1}^{3}$$

$$=\left(-\frac{1}{3}+2\right)-(-9+18)$$

$$\qquad +\left(\frac{81}{2}+18-9\right)-\left(\frac{1}{2}-\frac{2}{3}+3\right)$$

$$=\frac{118}{3} \qquad \cdots\cdots ㉰$$

채점 기준	배점
㉮ ㉠ 구하기	3점
㉯ ㉡ 구하기	3점
㉰ 답 구하기	2점

23 $y=|x^2-ax|=\begin{cases} x^2-ax & (x>a \text{ 또는 } x<0) \\ -x^2+ax & (0\leq x\leq a) \end{cases}$ ······㉮

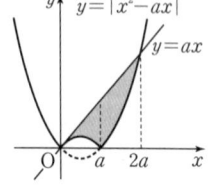

이므로 곡선 $y=|x^2-ax|$와 직선 $y=ax$의 교점의 x좌표는

(ⅰ) $x<0$ 또는 $x>a$일 때,

$x^2-ax=ax$에서

$x^2-2ax=0$

$x(x-2a)=0$

∴ $x=0$ 또는 $x=2a$

(ⅱ) $0\leq x\leq a$일 때,

$-x^2+ax=ax$에서 $x^2=0$

∴ $x=0$

따라서 구하는 넓이는

$\int_0^a \{ax-(-x^2+ax)\}dx + \int_a^{2a}\{ax-(x^2-ax)\}dx$ ······㉯

$=\int_0^a x^2 dx + \int_a^{2a}(-x^2+2ax)dx$

$=\left[\frac{1}{3}x^3\right]_0^a + \left[-\frac{1}{3}x^3+ax^2\right]_a^{2a}$

$=\frac{1}{3}a^3 + \frac{2}{3}a^3 = a^3$

즉, $a^3=64$이므로 $a=4$ ······㉰

채점 기준	배점
㉮ $y=|x^2-ax|$ 구간 나누어 표현하기	3점
㉯ 넓이 구하는 식 세우기	3점
㉰ 답 구하기	2점

20○○학년도 2학년 기말고사 (7회)

01 ①	02 ②	03 ④	04 ③	05 ④
06 ②	07 ①	08 ③	09 ④	10 ⑤
11 ②	12 ③	13 ④	14 ①	15 ④
16 ⑤	17 ④	18 ⑤	19 (1) $\frac{3}{2}$ (2) 3	
20 506	21 28π	22 -1	23 $-\frac{1}{5}<k<0$	

01 $f(x)=\int f'(x)dx$

$=\int(3x^2-4x+1)dx$

$=x^3-2x^2+x+C$

$f(0)=2$이므로 $C=2$

따라서 $f(x)=x^3-2x^2+x+2$이므로

$f(1)=1-2+1+2=2$

02 $f(x)=x^3-3ax^2+4a$라 하면

$f'(x)=3x^2-6ax$

$=3x(x-2a)$

$f'(x)=0$에서 $x=2a$ 또는 $x=0$

함수 $f(x)$의 증가, 감소를 표로 나타내면 다음과 같다.

x	$\cdots$	$2a$	$\cdots$	0	$\cdots$
$f'(x)$	$+$	0	$-$	0	$+$
$f(x)$	↗	$-4a^3+4a$	↘	$4a$	↗

삼차함수의 그래프가 x축에 접하려면

(극댓값)×(극솟값)$=0$이어야 하므로

$4a(-4a^3+4a)=-16a^2(a+1)(a-1)=0$

$a=-1\ (\because a<0)$

[참고]

최고차항의 계수가 양수인 삼차함수의 그래프가 x축에 접하려면 극댓값 또는 극솟값이 0이어야 한다.

즉, 삼차함수의 그래프와 x축의 교점의 개수가 2이다.

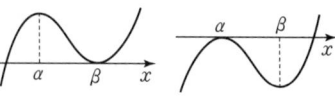

03 $f(x)=x^3-6x^2-15x-1$에서

$f'(x)=3x^2-12x-15$

$=3(x^2-4x-5)$

$=3(x+1)(x-5)$

함수 $f(x)$가 감소하는 구간은 $f'(x)\leq 0$에서

$(x+1)(x-5)\leq 0$

∴ $-1\leq x\leq 5$

따라서 감소하는 구간에 속하는 정수 x는 $-1, 0, 1, 2, 3, 4, 5$이므로 그 합은

$(-1)+0+1+2+3+4+5=14$

핵심 포인트

$f'(x) \geq 0$, $f'(x) \leq 0$인 경우의 증가와 감소
함수 $y = f(x)$가 어떤 구간에서 미분가능하고 그 구간의 유한개의 점에서만 $f'(x) = 0$이면
(1) $f'(x) \geq 0$일 때, 그 구간에서 $y = f(x)$는 증가한다.
(2) $f'(x) \leq 0$일 때, 그 구간에서 $y = f(x)$는 감소한다.

04 구간 $[0, 1]$에서 $y \geq 0$, 구간 $[1, 3]$에서 $y \leq 0$이므로 구하는 넓이는

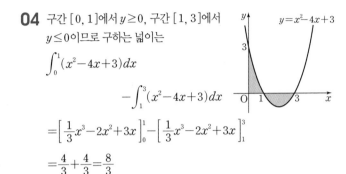

$$\int_0^1 (x^2 - 4x + 3)dx$$
$$- \int_1^3 (x^2 - 4x + 3)dx$$
$$= \left[\frac{1}{3}x^3 - 2x^2 + 3x \right]_0^1 - \left[\frac{1}{3}x^3 - 2x^2 + 3x \right]_1^3$$
$$= \frac{4}{3} + \frac{4}{3} = \frac{8}{3}$$

05 $\displaystyle\sum_{n=1}^{100} \int_0^1 (1-x)x^{n-1}dx$
$$= \sum_{n=1}^{100} \int_0^1 (x^{n-1} - x^n)dx$$
$$= \sum_{n=1}^{100} \left[\frac{1}{n}x^n - \frac{1}{n+1}x^{n+1} \right]_0^1$$
$$= \sum_{n=1}^{100} \left(\frac{1}{n} - \frac{1}{n+1} \right)$$
$$= \left\{ \left(1 - \frac{1}{2}\right) + \left(\frac{1}{2} - \frac{1}{3}\right) + \cdots + \left(\frac{1}{100} - \frac{1}{101}\right) \right\}$$
$$= 1 - \frac{1}{101} = \frac{100}{101}$$

06 ① $x = -2$의 좌우에서 $f'(x)$의 부호가 양에서 음으로 바뀌므로 $f(x)$는 $x = -2$에서 극대이다.
② $f'(3) > 0$이므로 $f(x)$는 $x = 3$에서 극값을 갖지 않는다.
③ $f(x)$는 $x = -2$에서 극대이고, $x = 2$에서 극소이므로 모두 2개의 극값을 갖는다.
④ 구간 $(0, 2)$에서 $f'(x) < 0$이므로 $f(x)$는 감소하고, 구간 $(2, 3)$에서 $f'(x) > 0$이므로 $f(x)$는 증가한다.
⑤ $x = 4$는 $f'(x) = 0$의 중근이지만 방정식 $f(x) = 0$의 근인지는 알 수 없다.
따라서 항상 옳은 것은 ②이다.

07 점 P의 시각 t에서의 속도를 v라 하면
$$v = \frac{dx}{dt} = 3t^2 + 2at + b$$
$t = 3$에서 $v = 13$이므로
$27 + 6a + b = 13$
$\therefore 6a + b = -14$ ······㉠
또한, $t = 4$에서 $v = 30$이므로
$48 + 8a + b = 30$
$\therefore 8a + b = -18$ ······㉡
㉠, ㉡을 연립하면 $a = -2$, $b = -2$

$\therefore a + b = -4$

08 자동차가 정지하려면 $v(t) = 0$이므로
$40 - 8t = 0$에서 $t = 5$
따라서 제동을 건 후 5초 동안 자동차가 달린 거리는
$$\int_0^5 |40 - 8t|\,dt = \int_0^5 (40 - 8t)\,dt$$
$$= \left[40t - 4t^2 \right]_0^5$$
$$= 100\,(\text{m})$$

09 $f(x) = ax^3 - 3x + b$에서 $f'(x) = 3ax^2 - 3$
함수 $f(x)$가 극댓값과 극솟값을 모두 가지므로 $f'(x) = 0$이 서로 다른 두 실근을 가져야 한다.
즉, $f'(x) = 0$의 판별식을 D라 하면
$D = 36a > 0$ $\therefore a > 0$
$f'(x) = 3ax^2 - 3 = 3a\left(x + \frac{1}{\sqrt{a}}\right)\left(x - \frac{1}{\sqrt{a}}\right)$이므로
$f'(x) = 0$에서 $x = -\frac{1}{\sqrt{a}}$ 또는 $x = \frac{1}{\sqrt{a}}$

x	$\cdots$	$-\frac{1}{\sqrt{a}}$	$\cdots$	$\frac{1}{\sqrt{a}}$	$\cdots$
$f'(x)$	$+$	0	$-$	0	$+$
$f(x)$	↗	극대	↘	극소	↗

즉, $f(x)$는 $x = -\frac{1}{\sqrt{a}}$에서 극대이고 $x = \frac{1}{\sqrt{a}}$에서 극소이다.
극댓값이 5이므로
$$f\left(-\frac{1}{\sqrt{a}}\right) = \frac{2}{\sqrt{a}} + b = 5 \quad \cdots\cdots ㉠$$
극솟값이 3이므로
$$f\left(\frac{1}{\sqrt{a}}\right) = -\frac{2}{\sqrt{a}} + b = 3 \quad \cdots\cdots ㉡$$
㉠, ㉡을 연립하여 풀면
$a = 4$, $b = 4$
따라서 $f(x) = 4x^3 - 3x + 4$, $f'(x) = 12x^2 - 3$이므로
$f(1) - f'(-1) = 5 - 9 = -4$

10 $f(x) = -\frac{1}{2}ax^4 + 3ax^2 - 4ax + b$ $(a > 0)$에서
$$f'(x) = -2ax^3 + 6ax - 4a = -2a(x^3 - 3x + 2)$$
$$= -2a(x+2)(x-1)^2$$
$f'(x) = 0$에서 $x = -2$ 또는 $x = 1$
$-3 \leq x \leq 0$에서 함수 $y = f(x)$의 증가, 감소를 표로 나타내면 다음과 같다.

x	-3	$\cdots$	-2	$\cdots$	0
$f'(x)$		$+$	0	$-$	
$f(x)$	$-\frac{3}{2}a+b$	↗	$12a+b$	↘	b

$a > 0$이므로 함수 $y = f(x)$는 $x = -2$에서 최댓값 $12a + b$, $x = -3$에서 최솟값 $-\frac{3}{2}a + b$를 갖는다.
즉, $12a + b = 54$, $-\frac{3}{2}a + b = 0$이므로

두 식을 연립하여 풀면

$a=4$, $b=6$

$\therefore a+b=10$

11 $f(x)\geq g(x)$에서 $f(x)-g(x)\geq 0$이므로

$f(x)-g(x)$의 최솟값이 0보다 크거나 같아야 한다.

$F(x)=f(x)-g(x)$로 놓으면

$F(x)=x^3+3x^2+x-(3x^2+4x+k)$

$\qquad =x^3-3x-k$

$F'(x)=3x^2-3=3(x+1)(x-1)$

$F'(x)=0$에서 $x=-1$ 또는 $x=1$

구간 $[-1, 2]$에서 함수 $F(x)$의 증가, 감소를 표로 나타내면 다음과 같다.

x	-1	$\cdots$	1	$\cdots$	2
$F'(x)$		$-$	0	$+$	
$F(x)$		$\searrow$	극소	$\nearrow$	

즉, $-1\leq x\leq 2$에서 $F(x)$는 $x=1$일 때, 극소이면서 최소이므로

$F(1)=-2-k\geq 0$

$\therefore k\leq -2$

따라서 실수 k의 최댓값은 -2이다.

12 $\displaystyle\int_0^2 xf(x)dx=\int_0^1 xf(x)dx+\int_1^2 xf(x)dx$

$\qquad =\displaystyle\int_0^1 x(4x^2+1)dx+\int_1^2 x(3x+2)dx$

$\qquad =\displaystyle\int_0^1 (4x^3+x)dx+\int_1^2 (3x^2+2x)dx$

$\qquad =\displaystyle\left[x^4+\frac{1}{2}x^2\right]_0^1+\left[x^3+x^2\right]_1^2$

$\qquad =\displaystyle\frac{3}{2}+10=\frac{23}{2}$

13 $\displaystyle\int_1^x f(t)dt=xf(x)-x^2$ ······ ㉠

㉠의 양변을 x에 대하여 미분하면

$f(x)=f(x)+xf'(x)-2x$

$\therefore xf'(x)=2x$

이 식이 모든 실수 x에 대하여 성립하므로

$f'(x)=2$

$\therefore f(x)=\displaystyle\int 2dx=2x+C$ ······ ㉡

한편, ㉠의 양변에 $x=1$을 대입하면

$0=f(1)-1$

$\therefore f(1)=1$

㉡에서 $f(1)=2+C=1$

$\therefore C=-1$

따라서 $f(x)=2x-1$이므로

$f(10)=20-1=19$

14 두 곡선 $y=x(x^2-2)$, $y=x^2$의 교점의 x좌표는 $x^3-2x=x^2$에서

$x^3-x^2-2x=0$, $x(x+1)(x-2)=0$

$\therefore x=-1$ 또는 $x=0$ 또는 $x=2$

$S_1=\displaystyle\int_{-1}^0 \{(x^3-2x)-x^2\}dx$

$\qquad =\displaystyle\int_{-1}^0 (x^3-x^2-2x)dx$

$\qquad =\displaystyle\left[\frac{1}{4}x^4-\frac{1}{3}x^3-x^2\right]_{-1}^0=\frac{5}{12}$

$S_2=\displaystyle\int_0^2 \{x^2-(x^3-2x)\}dx$

$\qquad =\displaystyle\int_0^2 (-x^3+x^2+2x)dx$

$\qquad =\displaystyle\left[-\frac{1}{4}x^4+\frac{1}{3}x^3+x^2\right]_0^2=\frac{8}{3}$

$\therefore S_2-S_1=\displaystyle\frac{8}{3}-\frac{5}{12}=\frac{9}{4}$

15 $g(x)=\displaystyle\int_{-2}^x f(t)dt$의 양변을 x에 대하여 미분하면 $g'(x)=f(x)$

ㄱ. $g'(-1)=f(-1)\neq 0$

즉, $g(x)$는 $x=-1$에서 극댓값을 갖지 않는다. (거짓)

ㄴ. 주어진 그래프를 이용해 함수 $g(x)$의 증가, 감소를 조사하면 다음과 같다.

x	-2	$\cdots$	0	$\cdots$	2
$g'(x)$	0	$+$	0	$-$	0
$g(x)$		$\nearrow$	극대	$\searrow$	

즉, 구간 $[-2, 2]$에서 $x=0$일 때, $g(x)$는 최댓값을 갖는다. (참)

ㄷ. $g'(2)=f(2)=0$ (참)

따라서 옳은 것은 ㄴ, ㄷ이다.

16 (가)에서

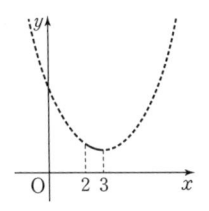

$f(x)=x^2-6x+10=(x-3)^2+1$

이므로 $2\leq x\leq 3$에서 함수 $f(x)$의 그래프는 그림과 같다.

(나)에서 $f(6-x)=f(x)$이므로

$f(3-x)=f(3+x)$

즉, 함수 $f(x)$는 직선 $x=3$에 대하여 대칭이다.

(다)에서 $f(x)=f(x+2)$이므로 함수 $f(x)$의 그래프는 그림과 같다.

$\therefore \displaystyle\int_{-3}^5 f(x)dx=8\int_2^3 f(x)dx=8\int_2^3 (x^2-6x+10)dx$

$\qquad =\displaystyle 8\left[\frac{1}{3}x^3-3x^2+10x\right]_2^3$

$\qquad =\displaystyle 8\left(12-\frac{32}{3}\right)=\frac{32}{3}$

17 함수 $y=f(x)$와 그 역함수 $y=f^{-1}(x)$의 그래프는 직선 $y=x$에 대하여 대칭이다.

(i) $\displaystyle\int_0^6 \{f(x)-x\}dx=6$은 $y=f(x)$의 그래프와 직선 $y=x$로 둘러싸인 부분의 넓이이므로 [그림 1]의 어두운 부분의 넓이와 같고, 두 함수 $y=f(x)$, $y=f^{-1}(x)$의 그래프로 둘러싸인 부분의 넓이의 $\dfrac{1}{2}$배이다.

(ii) $\displaystyle\int_0^6 \{6-f^{-1}(x)\}dx$는 $y=f^{-1}(x)$의 그래프와 직선 $y=6$ 및 y축으로 둘러싸인 부분의 넓이이므로 [그림 2]의 어두운 부분의 넓이와 같다.

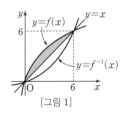
[그림 1]

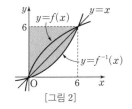
[그림 2]

(i), (ii)에서
$$\int_0^6 \{6-f^{-1}(x)\}dx=\frac{1}{2}\times 6\times 6+6=24$$

18 $f(x)=\begin{cases} a(3x-x^3) & (x<0) \\ x^3-ax & (x\geq 0) \end{cases}$에서

$f'(x)=\begin{cases} a(3-3x^2) & (x<0) \\ 3x^2-a & (x>0) \end{cases}$

(i) $a>0$일 때,

$f'(-1)=0$이고 $f'\left(\sqrt{\dfrac{a}{3}}\right)=0$이므로 $y=f(x)$의 그래프는 그림과 같고 극대인 점은 없다.

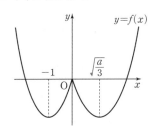

(ii) $a<0$일 때,

$f'(-1)=0$이고 $3x^2-a=0$의 근은 없으므로 $y=f(x)$의 그래프는 그림과 같고 $x=-1$에서 극댓값을 갖는다.

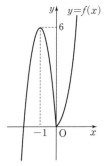

즉, $f(-1)=a(-3+1)=6$에서 $a=-3$

(i), (ii)에서
$$f(x)=\begin{cases} -3(3x-x^3) & (x<0) \\ x^3+3x & (x\geq 0) \end{cases}$$
$$\therefore f(-2)+f(2)=-6+14=8$$

19 (1) 함수 $f(x)=-x^2+3x+1$은 닫힌구간 $[0,\,3]$에서 연속이고 열린구간 $(0,\,3)$에서 미분가능하며 $f(0)=f(3)=1$이므로 롤의 정리에 의하여 $f'(c)=0$인 c가 열린구간 $(0,\,3)$에 적어도 하나 존재한다.

$f'(x)=-2x+3$이므로

$f'(c)=-2c+3=0$ ······ ㉮

$\therefore c=\dfrac{3}{2}$ ······ ㉯

채점 기준	배점
㉮ $f'(c)=0$ 구하기	2점
㉯ 답 구하기	1점

(2) 함수 $f(x)=-x^2+3x+1$은 닫힌구간 $[1,\,5]$에서 연속이고 열린구간 $(1,\,5)$에서 미분가능하므로 평균값 정리에 의하여
$$\frac{f(5)-f(1)}{5-1}=\frac{-9-3}{4}$$
$$=-3=f'(c)\ (1<c<5)$$
인 c가 적어도 하나 존재한다.

$f'(x)=-2x+3$이므로

$f'(c)=-2c+3=-3$ ······ ㉮

$\therefore c=3$ ······ ㉯

채점 기준	배점
㉮ $f'(c)=-3$ 구하기	2점
㉯ 답 구하기	1점

20 $\displaystyle\int_0^{12} f(t)dt$

$\displaystyle=\int_0^1 f(t)dt+\int_1^2 f(t)dt+\int_2^3 f(t)dt+\cdots+\int_{11}^{12} f(t)dt$ ······ ㉮

$\displaystyle=0^2+1^2+2^2+\cdots+11^2=\sum_{k=1}^{11} k^2$

$\displaystyle=\frac{11\times 12\times 23}{6}=506$ ······ ㉯

채점 기준	배점
㉮ $\displaystyle\int_0^{12} f(t)dt=\int_0^1 f(t)dt+\cdots+\int_{11}^{12} f(t)dt$로 나타내기	3점
㉯ 답 구하기	3점

21 t초 후의 풍선의 반지름의 길이를 r라 하면
$$r=4+0.2t\,(\text{cm})$$
이므로 t초 후의 겉넓이를 S라 하면
$$S=4\pi(4+0.2t)^2=4\pi(16+1.6t+0.04t^2)$$
$$\frac{dS}{dt}=4\pi(1.6+0.08t)$$이므로
$t=5$일 때의 겉넓이의 변화율은
$$4\pi(1.6+0.08\times 5)=8\pi\,(\text{cm}^2/\text{s})$$

$\therefore a=8\pi$ ...... ㉮

t초 후의 부피를 V라 하면

$$V=\frac{4}{3}\pi(4+0.2t)^3=\frac{4}{3}\pi(64+9.6t+0.48t^2+0.008t^3)$$

$$\frac{dV}{dt}=\frac{4}{3}\pi(9.6+0.96t+0.024t^2)$$이므로

$t=5$일 때의 부피의 변화율은

$$\frac{4}{3}\pi(9.6+0.96\times5+0.024\times25)=20\pi(\text{cm}^3/\text{s})$$

$\therefore b=20\pi$ ...... ㉯

$\therefore a+b=8\pi+20\pi=28\pi$ ...... ㉰

채점 기준	배점
㉮ $a=8\pi$ 구하기	2점
㉯ $b=20\pi$ 구하기	2점
㉰ 답 구하기	2점

22 $f(x)$가 $(x-1)^2$으로 나누어떨어지므로

$f(1)=0, f'(1)=0$ ...... ㉮

$f(x)=x^2-ax+\int_1^x g(t)dt$의 양변에 $x=1$을 대입하면

$f(1)=1-a$

$f(1)=0$이므로 $1-a=0$ $\quad\therefore a=1$ ...... ㉯

$f(x)=x^2-ax+\int_1^x g(t)dt$의 양변을 x에 대하여 미분하면

$f'(x)=2x-a+g(x)$

$\therefore f'(1)=2-a+g(1)$

$f'(1)=0, a=1$이므로

$0=2-1+g(1)$ $\quad\therefore g(1)=-1$ ...... ㉰

따라서 다항식 $g(x)$를 $x-1$로 나눈 나머지는 나머지정리에 의하여 $g(1)=-1$ ...... ㉱

채점 기준	배점
㉮ $f(1)=0, f'(1)=0$ 구하기	2점
㉯ $a=1$ 구하기	2점
㉰ $g(1)=-1$ 구하기	2점
㉱ 답 구하기	2점

23 $f(x)=\frac{1}{3}x^3+kx^2+3kx+4$에서

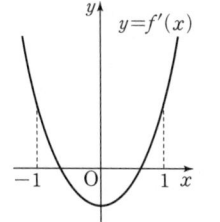

$f'(x)=x^2+2kx+3k$

함수 $y=f(x)$가 $-1<x<1$에서 극댓값과 극솟값을 모두 갖기 위해서는 이차방정식 $f'(x)=0$의 서로 다른 두 실근이 모두 $-1<x<1$에 있어야 한다. 즉, 이차함수 $y=f'(x)$의 그래프가 그림과 같아야 한다.

(i) 이차방정식 $x^2+2kx+3k=0$의 판별식을 D라 하면

$$\frac{D}{4}=k^2-3k>0, k(k-3)>0$$

$\therefore k<0$ 또는 $k>3$ ...... ㉮

(ii) $f'(1)=1+5k>0$에서 $k>-\frac{1}{5}$ ...... ㉯

(iii) $f'(-1)=1+k>0$에서 $k>-1$

(iv) 이차함수 $y=f'(x)$의 그래프의 축이 $-1<x<1$에 있어야 하므로

$-1<-k<1$에서 $-1<k<1$ ...... ㉰

(i)~(iv)에서 실수 k의 값의 범위는

$-\frac{1}{5}<k<0$ ...... ㉱

채점 기준	배점
㉮ $k<0$ 또는 $k>3$ 구하기	2점
㉯ $k>-\frac{1}{5}$ 구하기	2점
㉰ $-1<k<1$ 구하기	2점
㉱ 답 구하기	2점

핵심 포인트

$f'(x)=ax^2+bx+c$ $(a>0)$에 대하여 $f'(x)=0$의 판별식을 D라 하면

$f'(x)=0$의 두 실근 α, β $(\alpha<\beta)$가

(1) m과 $n(m<n)$ 사이에 있을 조건

➡ $D>0, f'(m)>0, f'(n)>0,$

$m<-\dfrac{b}{2a}<n$

(2) $\alpha<m<\beta<n$일 조건

➡ $f'(m)<0, f'(n)>0$

20○○학년도 2학년 기말고사(8회)

01 ②	02 ③	03 ④	04 ④	05 ①
06 ②	07 ①	08 ⑤	09 ②	10 ③
11 ②	12 ④	13 ⑤	14 ①	15 ④
16 ⑤	17 ③	18 ⑤	19 $\frac{33}{2}$	20 16
21 2	22 2	23 $\frac{3200}{27}$		

01
$$\int_0^1 (x-1)(x^2+x+1)dx = \int_0^1 (x^3-1)dx$$
$$= \left[\frac{1}{4}x^4 - x\right]_0^1 = \frac{1}{4} - 1$$
$$= -\frac{3}{4}$$

02 함수 $f(x)=x^2+ax+2$는 닫힌구간 $[0, 3]$에서 롤의 정리를 만족시키는 상수 $\frac{3}{2}$이 존재하므로

$f'(x)=2x+a$에서 $f'\left(\frac{3}{2}\right)=3+a=0$

$\therefore a=-3$

$f(x)=x^2-3x+2$이므로 닫힌구간 $[2, 4]$에서 평균값 정리에 의하여

$$\frac{f(4)-f(2)}{4-2}=\frac{6-0}{2}=3=f'(b)$$

인 b가 2와 4 사이에 적어도 하나 존재한다.

$f'(x)=2x-3$이므로

$f'(b)=2b-3=3$

$\therefore b=3$

$\therefore a+b=(-3)+3=0$

03 함수 $f(x)$는 삼차함수이므로 역함수가 존재하기 위해서는 실수 전체의 집합에서 증가하거나 감소해야 한다.

함수 $f(x)$의 최고차항의 계수가 음수이므로 실수 전체의 집합에서 감소해야 한다.

즉, 모든 실수 x에 대하여 $f'(x)\leq0$이어야 하므로

$f(x)=-\frac{1}{3}x^3+ax^2-(a+2)x-5$에서

$f'(x)=-x^2+2ax-(a+2)\leq0$

즉, $x^2-2ax+a+2\geq0$이므로

이차방정식 $f'(x)=0$의 판별식을 D라 하면

$$\frac{D}{4}=a^2-(a+2)\leq0$$

$a^2-a-2\leq0, (a+1)(a-2)\leq0$

$\therefore -1\leq a\leq2$

따라서 $\alpha=-1, \beta=2$이므로 $\alpha+\beta=1$

04 $t=0$에서의 점 P의 위치가 0이므로 $t=3$에서의 점 P의 위치는

$$0+\int_0^3 (3t^2-2t+6)\,dt=\left[t^3-t^2+6t\right]_0^3$$
$$=36$$

05 $f(x)=2x^3-6x^2+a+6$으로 놓으면

$f'(x)=6x^2-12x=6x(x-2)$

$f'(x)=0$에서 $x=0$ 또는 $x=2$

함수 $f(x)$의 증가, 감소를 표로 나타내면 다음과 같다.

x	$\cdots$	0	$\cdots$	2	$\cdots$
$f'(x)$	+	0	−	0	+
$f(x)$	↗	$a+6$	↘	$a-2$	↗

방정식 $f(x)=0$이 한 실근과 중근을 가지려면

(극댓값)×(극솟값)$=0$이어야 하므로

$f(0)f(2)=(a+6)(a-2)=0$

$\therefore a=-6$ 또는 $a=2$

따라서 모든 상수 a의 값의 곱은

$(-6)\times2=-12$

06 $\int (x-6)f(x)\,dx=x^3-108x$에서

양변을 x에 대하여 미분하면

$$\frac{d}{dx}\left\{\int (x-6)f(x)\,dx\right\}=\frac{d}{dx}(x^3-108x)$$

$(x-6)f(x)=3x^2-108$
$=3(x+6)(x-6)$

따라서 $f(x)=3(x+6)$이므로

$f(3)=3\times9=27$

07 ㄱ. $t=5$의 좌우에서 $v(t)$의 부호가 바뀌지 않으므로 $t=5$에서 운동 방향을 바꾸지 않는다. (참)

ㄴ. $t=2, t=4$의 좌우에서 $v(t)$의 부호가 바뀌므로 운동 방향을 두 번 바꾼다. (거짓)

ㄷ. $2<t<4$에서 $v(t)>0$이므로 수직선 위를 양의 방향으로 움직인다. (거짓)

ㄹ. $4<t<6$에서 $y=v(t)$는 감소하다가 증가한 뒤 감소한다. (거짓)

따라서 옳은 것은 ㄱ뿐이다.

핵심 포인트

속도의 그래프가 주어진 경우
수직선 위를 움직이는 점 P의 시각 t에서의 속도 $v(t)$의 그래프에서
(1) $v=0$이면 점 P는 움직이는 방향을 바꾸거나 정지한다.
(2) 속도 $v(t)$의 그래프에서 $t=a$에서의 가속도
➡ $t=a$에서의 접선의 기울기 $v'(a)$

08 $f(x)=x^3+ax^2+bx+c$에서

$f'(x)=3x^2+2ax+b$

문제의 그래프에서 $f'(0)=0, f'(2)=0$이므로

$f'(0)=b=0$ ……㉠

$f'(2)=12+4a+b=0$ ……㉡

㉠을 ㉡에 대입하면 $a=-3$

$\therefore f(x)=x^3-3x^2+c$

함수 $f(x)$의 증가, 감소를 조사하면 다음과 같다.

x	$\cdots$	0	$\cdots$	2	$\cdots$
$f'(x)$	$+$	0	$-$	0	$+$
$f(x)$	↗	극대	↘	극소	↗

즉, 함수 $f(x)$는 $x=2$에서 극솟값 10을 가지므로
$f(2)=8-12+c=10$ $\therefore c=14$
$\therefore f(x)=x^3-3x^2+14$
따라서 구하는 극댓값은 $f(0)=14$

09 $x=0$에서 극댓값 5를 가지므로 $f'(0)=0$, $f(0)=5$
$f'(2)=0$이므로 $x=2$에서 극솟값을 가지고
$f'(x)=ax(x-2)$ $(a\neq0)$라 하면
$$f(x)=\int f'(x)dx$$
$$=\int ax(x-2)\,dx$$
$$=\frac{a}{3}x^3-ax^2+C$$
$f(0)=5$이므로 $C=5$
$f(1)=1$이므로 $\frac{a}{3}-a+5=1$
$\therefore a=6$
따라서 $f(x)=2x^3-6x^2+5$이므로 극솟값은
$f(2)=16-24+5=-3$

핵심 포인트

극값이 주어진 경우의 부정적분
미분가능한 함수 $y=f(x)$에 대하여
$f'(a)=0$이고 $x=a$의 좌우에서 $f'(x)$의 부호가
(1) 양에서 음으로 변하면 $y=f(x)$는 $x=a$에서 극대
(2) 음에서 양으로 변하면 $y=f(x)$는 $x=a$에서 극소

---

10 잘라야 할 정사각형의 한 변의 길이를 x cm라 하면 상자의 부피는 $x(8-2x)(15-2x)$이다.
$f(x)=x(8-2x)(15-2x)$ $(0<x<4)$라 하면
$f(x)=x(8-2x)(15-2x)$
$\quad=2(2x^3-23x^2+60x)$
$\therefore f'(x)=2(6x^2-46x+60)$
$\quad=4(3x-5)(x-6)$
$f'(x)=0$에서 $x=\frac{5}{3}$ 또는 $x=6$
$0<x<4$에서 함수 $f(x)$의 증가, 감소를 표로 나타내면 다음과 같다.

x	(0)	$\cdots$	$\frac{5}{3}$	$\cdots$	(4)
$f'(x)$		$+$	0	$-$	
$f(x)$		↗	극대	↘	

따라서 상자의 부피는 $x=\frac{5}{3}$일 때 최대이므로 잘라내야 할 정사각형의 한 변의 길이는 $\frac{5}{3}$ cm이고, 정사각형의 둘레의 길이는 $\frac{20}{3}$ cm이다.

11 두 점 A, B가 만나려면 $x_A=x_B$에서
$2t^2+13t=2t^3-13t^2+37t-3$
$2t^3-15t^2+24t-3=0$
$f(t)=2t^3-15t^2+24t-3$이라 하면
$f'(t)=6t^2-30t+24=6(t-1)(t-4)$
$f'(t)=0$에서 $t=1$ 또는 $t=4$
함수 $f(x)$의 증가, 감소를 표로 나타내면 다음과 같다.

t	$\cdots$	1	$\cdots$	4	$\cdots$
$f'(t)$	$+$	0	$-$	0	$+$
$f(t)$	↗	8	↘	-19	↗

즉, $f(1)>0$, $f(4)<0$, $f(5)<0$이므로 $f(t)$의 그래프의 개형은 그림과 같다.

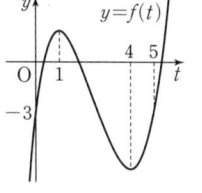

따라서 $0\leq t\leq5$에서 $f(t)=0$인 t의 값이 2개 존재하므로 두 점 A, B가 처음 5초 동안 만나는 횟수는 2이다.

12 $\int_{-1}^{1}(x-3)f(x)dx=\int_{-1}^{1}xf(x)dx-3\int_{-1}^{1}f(x)dx$
조건 (가)에서 $f(-x)=f(x)$이므로
$$\int_{-1}^{1}f(x)dx=2\int_{0}^{1}f(x)dx \quad\cdots\cdots\text{㉠}$$
한편, $g(x)=xf(x)$라 하면 $g(-x)=-g(x)$이므로
$$\int_{-1}^{1}xf(x)dx=0 \quad\cdots\cdots\text{㉡}$$
㉠, ㉡에 의하여
$$\int_{-1}^{1}(x-3)f(x)dx$$
$$=-6\int_{0}^{1}f(x)dx$$
$$=(-6)\times(-2)$$
$$=12$$

13 $f(x)=\int_{-1}^{x}t(t-2)dt$의 양변을 x에 대하여 미분하면
$f'(x)=x(x-2)$
$f'(x)=0$에서 $x=0$ 또는 $x=2$이므로
함수 $f(x)$의 증가, 감소를 표로 나타내면 다음과 같다.

x	$\cdots$	0	$\cdots$	2	$\cdots$
$f'(x)$	$+$	0	$-$	0	$+$
$f(x)$	↗	극대	↘	극소	↗

함수 $f(x)$는 $x=0$일 때 극대, $x=2$일 때 극소이므로
$a=0$, $b=2$
$M=f(0)=\int_{-1}^{0}t(t-2)dt=\int_{-1}^{0}(t^2-2t)dt$
$\quad=\left[\frac{1}{3}t^3-t^2\right]_{-1}^{0}=-\left(-\frac{1}{3}-1\right)=\frac{4}{3}$

$$m=f(2)=\int_{-1}^{2} t(t-2)dt$$

$$=\int_{-1}^{2} (t^2-2t)dt=\left[\frac{1}{3}t^3-t^2\right]_{-1}^{2}$$

$$=\left(\frac{8}{3}-4\right)-\left(-\frac{1}{3}-1\right)=0$$

$$\therefore a+b+M+m=0+2+\frac{4}{3}+0=\frac{10}{3}$$

14 $f(2)-f(0)=-2$ ‥‥‥㉠

$f(8)-f(0)=7$ ‥‥‥㉡

㉡-㉠을 하면 $f(8)-f(2)=9$ ‥‥‥㉢

함수 $y=f'(x)$의 그래프와 x축 및 y축으로 둘러싸인 부분의 넓이는

$$\int_{0}^{8} |f'(x)|dx=-\int_{0}^{2} f'(x)dx+\int_{2}^{8} f'(x)dx$$

$$=-\left[f(x)\right]_{0}^{2}+\left[f(x)\right]_{2}^{8}$$

$$=-\{f(2)-f(0)\}+\{f(8)-f(2)\}$$

$$=2+9=11 \ (\because ㉠, ㉢)$$

15 곡선 $y=x^2(x-6)$과 x축의 교점의 x좌표는

$x^2(x-6)=0$에서 $x=0$ 또는 $x=6$

$a>6$이므로 곡선 $y=x^2(x-6)$과 직선 $x=a$는 그림과 같다.

어두운 두 부분의 넓이가 서로 같으므로

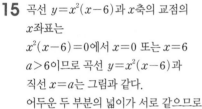

$$\int_{0}^{a} x^2(x-6)dx=\int_{0}^{a} (x^3-6x^2)dx$$

$$=\left[\frac{1}{4}x^4-2x^3\right]_{0}^{a}=0$$

$\frac{1}{4}a^4-2a^3=0$, $a^4-8a^3=0$

$a^3(a-8)=0$

$\therefore a=8 \ (\because a>6)$

16 이차함수 $y=f'(t)$의 그래프와 t축의 교점의 t좌표가 1, 3이므로

$f'(t)=a(t-1)(t-3) \ (a>0)$

함수 $y=f'(t)$의 그래프가 점 $(0, 3)$을 지나므로

$f'(0)=3a=3$ ∴ $a=1$

$\therefore f'(t)=(t-1)(t-3)=t^2-4t+3$

한편, 점 P의 시각 t에서의 위치 $f(t)$에 대하여 $f'(t)$는 점 P의 시각 t에서의 속도이고 출발할 때의 $f'(t)>0$이므로 점 P가 출발할 때의 운동 방향에 대하여 반대 방향으로 움직인 시각 t는 $f'(t)<0$일 때 즉, $1<t<3$이다.

따라서 구하는 거리 d는

$$d=\int_{1}^{3} |f'(t)|dt$$

$$=-\int_{1}^{3} (t^2-4t+3)dt$$

$$=-\left[\frac{1}{3}t^3-2t^2+3t\right]_{1}^{3}$$

$$=-\left\{(9-18+9)-\left(\frac{1}{3}-2+3\right)\right\}=\frac{4}{3}$$

$$\therefore 15d=15\times\frac{4}{3}=20$$

17 두 함수 $y=f(x)$, $y=f(x-b)$의 그래프는 그림과 같다.

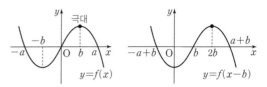

$$\int_{-b}^{a} f(x)dx=\int_{-b}^{0} f(x)dx+\int_{0}^{a} f(x)dx$$이고,

$$\int_{0}^{a} f(x)dx=\int_{b}^{a+b} f(x-b)dx$$이므로

$$\int_{-b}^{0} f(x)dx=-12$$

$$\left(\because \int_{-b}^{a} f(x)dx=10, \int_{b}^{a+b} f(x-b)dx=22\right)$$

$$\therefore \int_{-b}^{a} |f(x)| dx$$

$$=\int_{-b}^{0} \{-f(x)\}dx+\int_{0}^{a} f(x)dx$$

$$=-\int_{-b}^{0} f(x)dx+\int_{0}^{a} f(x)dx$$

$$=-(-12)+22$$

$$=34$$

18 함수 $y=f(x)$가 이차함수이므로

$f(x)=ax^2+bx+c \ (a\neq0)$라 하면

$$g(x)$$

$$=\int \{x^2+f(x)\}dx$$

$$=\int (x^2+ax^2+bx+c)\,dx$$

$$=\int \{(1+a)x^2+bx+c\}dx$$

$$=\frac{1}{3}(1+a)x^3+\frac{b}{2}x^2+cx+C \ \ \ \ ㉠$$

$$f(x)g(x)=(ax^2+bx+c)g(x)$$

$$=-2x^4+8x^3 \ \ \ \ ㉡$$

이므로 함수 $y=g(x)$는 이차함수이다.

$\therefore a=-1$

㉠, ㉡에서

$$(-x^2+bx+c)\left(\frac{b}{2}x^2+cx+C\right)=-2x^4+8x^3$$

$$-\frac{b}{2}x^4+\left(\frac{b^2}{2}-c\right)x^3+\left(-C+\frac{3bc}{2}\right)x^2+(bC+c^2)x+cC$$

$$=-2x^4+8x^3$$에서

$$-\frac{b}{2}=-2, \ \frac{b^2}{2}-c=8, \ -C+\frac{3bc}{2}=0,$$

$$bC+c^2=0, \ cC=0$$

$$\therefore b=4, c=0, C=0$$

따라서 $g(x)=2x^2$이므로

$$g(-1)=2$$

19 $\displaystyle\int_0^3 \frac{x^3}{x-1}\,dx + \int_3^0 \frac{1}{t-1}\,dt$

$\displaystyle = \int_0^3 \frac{x^3}{x-1}\,dx + \int_3^0 \frac{1}{x-1}\,dx$

$\displaystyle = \int_0^3 \frac{x^3}{x-1}\,dx - \int_0^3 \frac{1}{x-1}\,dx$ ⋯⋯ ㉮

$\displaystyle = \int_0^3 \frac{x^3-1}{x-1}\,dx = \int_0^3 \frac{(x-1)(x^2+x+1)}{x-1}\,dx$

$\displaystyle = \int_0^3 (x^2+x+1)\,dx$

$\displaystyle = \left[\frac{1}{3}x^3 + \frac{1}{2}x^2 + x\right]_0^3$

$\displaystyle = 9 + \frac{9}{2} + 3 = \frac{33}{2}$ ⋯⋯ ㉯

채점 기준	배점
㉮ $t \to x$로 바꾸어 식 정리하기	3점
㉯ 답 구하기	3점

20 $f(x) = -\dfrac{1}{2}x^4 + 4x^2 - 8$ 에서

$f'(x) = -2x^3 + 8x = -2x(x+2)(x-2)$

$f'(x) = 0$ 에서 $x = -2$ 또는 $x = 0$ 또는 $x = 2$ ⋯⋯ ㉮

함수 $f(x)$의 증가, 감소를 표로 나타내면 다음과 같다.

x	$\cdots$	-2	$\cdots$	0	$\cdots$	2	$\cdots$
$f'(x)$	$+$	0	$-$	0	$+$	0	$-$
$f(x)$	↗	0	↘	-8	↗	0	↘

따라서 함수 $f(x)$는 $x = -2$ 또는 $x = 2$일때 극댓값 0, $x = 0$일 때 극솟값 -8을 갖는다. ⋯⋯ ㉯

즉, 극대가 되는 점은 $(-2, 0)$, $(2, 0)$, 극소가 되는 점은 $(0, -8)$이므로 이 세 점을 꼭짓점으로 하는 삼각형의 넓이는

$\dfrac{1}{2} \times 4 \times 8 = 16$

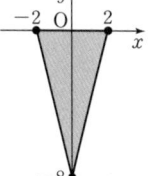

⋯⋯ ㉰

채점 기준	배점
㉮ $x = -2$ 또는 $x = 0$ 또는 $x = 2$ 구하기	2점
㉯ 극댓값, 극솟값 찾기	2점
㉰ 답 구하기	2점

21 $f(0) = 4$이고 y축에 대하여 대칭인 사차함수 $y = f(x)$를

$f(x) = ax^4 + bx^2 + 4$라 하면 ⋯⋯ ㉮

$f'(x) = 4ax^3 + 2bx$

함수 $y = f(x)$가 $x = 1$에서 극솟값 -2를 가지므로

$f(1) = -2$, $f'(1) = 0$

$f(1) = a + b + 4 = -2$

$\therefore a + b = -6$ ⋯⋯ ㉠

$f'(1) = 4a + 2b = 0$

$\therefore 2a + b = 0$ ⋯⋯ ㉡

㉠, ㉡을 연립하여 풀면

$a = 6$, $b = -12$ ⋯⋯ ㉯

$\therefore f(x) = 6x^4 - 12x^2 + 4$

함수 $y = |f(x)|$의 그래프는 그림과 같고 방정식 $|f(x)| = k$의 서로 다른 실근의 개수는 곡선 $y = |f(x)|$와 직선 $y = k$의 교점의 개수와 같다.

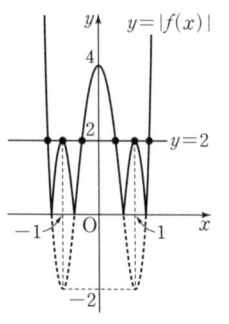

따라서 방정식 $|f(x)| = 2$의 서로 다른 실근의 개수는 6일 때 최대이므로 $k = 2$ ⋯⋯ ㉰

채점 기준	배점
㉮ $f(x)$ 구하기	2점
㉯ $a = 6$, $b = -12$ 구하기	2점
㉰ 답 구하기	2점

22 $\displaystyle\int_1^x (x-t)f(t)\,dt = \int_0^x (t^2 + at + b)\,dt$ ⋯⋯ ㉠

㉠의 양변에 $x = 1$을 대입하면

$\displaystyle 0 = \int_0^1 (t^2 + at + b)\,dt$

$\displaystyle = \left[\frac{1}{3}t^3 + \frac{1}{2}at^2 + bt\right]_0^1$

$\displaystyle = \frac{1}{3} + \frac{1}{2}a + b$

$\therefore 3a + 6b = -2$ ⋯⋯ ㉡ ⋯⋯ ㉮

㉠에서

$\displaystyle x\int_1^x f(t)\,dt - \int_1^x tf(t)\,dt = \int_0^x (t^2 + at + b)\,dt$

이므로 양변을 x에 대하여 미분하면

$\displaystyle \int_1^x f(t)\,dt + xf(x) - xf(x) = x^2 + ax + b$

$\displaystyle \therefore \int_1^x f(t)\,dt = x^2 + ax + b$ ⋯⋯ ㉢

㉢의 양변에 $x = 1$을 대입하면

$0 = 1 + a + b$

$\therefore a + b = -1$ ⋯⋯ ㉣ ⋯⋯ ㉯

㉡, ㉣을 연립하여 풀면 $a = -\dfrac{4}{3}$, $b = \dfrac{1}{3}$ ⋯⋯ ㉰

따라서 ㉢의 양변을 x에 대하여 미분하면

$f(x) = 2x - \dfrac{4}{3}$

$\therefore f(b-a) = f\left(\dfrac{5}{3}\right) = \dfrac{10}{3} - \dfrac{4}{3} = 2$ ⋯⋯ ㉱

채점 기준	배점
㉮ $3a + 6b = -2$ 구하기	2점
㉯ $a + b = -1$ 구하기	2점
㉰ $a = -\dfrac{4}{3}$, $b = \dfrac{1}{3}$ 구하기	2점
㉱ 답 구하기	2점

23 조건 ㈎에서 $f(x)$는 $x-n$을 인수로 갖고
조건 ㈏에서
$x+n>0$, 즉 $x>-n$일 때 $f(x)\geq 0$
$x+n<0$, 즉 $x<-n$일 때 $f(x)\leq 0$
이므로 함수 $f(x)$의 그래프의 개형은 오
른쪽 그림과 같다.

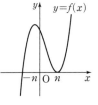

최고차항의 계수가 1이므로 삼차함수 $f(x)$는
$$f(x)=(x+n)(x-n)^2 \qquad \cdots\cdots \text{㉮}$$
으로 놓을 수 있다.
$$\begin{aligned} f(x)&=(x+n)(x-n)^2 \\ &=x^3-nx^2-n^2x+n^3 \end{aligned}$$
에서
$$\begin{aligned} f'(x)&=3x^2-2nx-n^2 \\ &=(3x+n)(x-n) \end{aligned}$$
$f'(x)=0$에서 $x=-\dfrac{n}{3}$ 또는 $x=n$ $\qquad \cdots\cdots \text{㉯}$
함수 $f(x)$의 증가, 감소를 표로 나타내면 다음과 같다.

x	$\cdots$	$-\dfrac{n}{3}$	$\cdots$	n	$\cdots$
$f'(x)$	$+$	0	$-$	0	$+$
$f(x)$	↗	$\dfrac{32}{27}n^3$	↘	0	↗

즉, 함수 $f(x)$는 $x=-\dfrac{n}{3}$에서 극댓값 $\dfrac{32}{27}n^3$을 갖는다.

따라서 $a_n=\dfrac{32}{27}n^3$이므로 $\qquad \cdots\cdots \text{㉰}$
$$\begin{aligned} \sum_{n=1}^{4} a_n &=\sum_{n=1}^{4}\frac{32}{27}n^3 \\ &=\frac{32}{27}\sum_{n=1}^{4}n^3 \\ &=\frac{32}{27}\times\left(\frac{4\times 5}{2}\right)^2 \\ &=\frac{3200}{27} \qquad \cdots\cdots \text{㉱} \end{aligned}$$

채점 기준	배점
㉮ $f(x)$ 구하기	2점
㉯ $x=-\dfrac{n}{3}$ 또는 $x=n$ 구하기	2점
㉰ $a_n=\dfrac{32}{27}n^3$ 구하기	2점
㉱ 답 구하기	2점

01 $f(x)=-2x^3+3ax^2-6bx$에서
$f'(x)=-6x^2+6ax-6b$
함수 $y=f(x)$가 증가하는 구간이 $[-1,\ 4]$이므로
$f'(x)\geq 0$, 즉 $x^2-ax+b\leq 0$의 해는 $-1\leq x\leq 4$이다.
따라서 이차방정식 $x^2-ax+b=0$의 두 근이 $-1,\ 4$이므로 근과 계수의 관계에 의하여
$a=-1+4=3$, $b=(-1)\times 4=-4$
$\therefore a+b=-1$

02 $f'(x)=ax-6\ (a\neq 0)$이므로
$$\begin{aligned} f(x)&=\int(ax-6)\,dx \\ &=\frac{a}{2}x^2-6x+C \ (단, C는 적분상수) \end{aligned}$$
$f(0)=3$이므로 $C=3$
$f(1)=-2$이므로
$\dfrac{a}{2}-6+3=-2$
$\therefore a=2$
따라서 $f(x)=x^2-6x+3$이므로
$f(2)=4-12+3=-5$

03 $\displaystyle\int_{-1}^{1}(1+2x+3x^2+\cdots+10x^9+11x^{10}+12x^{11})\,dx$
$=\displaystyle\int_{-1}^{1}(1+3x^2+5x^4+7x^6+9x^8+11x^{10})\,dx$
$\qquad +\displaystyle\int_{-1}^{1}(2x+4x^3+6x^5+8x^7+10x^9+12x^{11})\,dx$
$=2\displaystyle\int_{0}^{1}(1+3x^2+5x^4+7x^6+9x^8+11x^{10})\,dx+0$
$=2\Big[x+x^3+x^5+x^7+x^9+x^{11}\Big]_{0}^{1}$
$=2\times 6=12$

04 $f(x)=-x^3+ax^2-2ax+1$에서
$f'(x)=-3x^2+2ax-2a$
이때, 함수 $f(x)$가 극값을 갖지 않기 위해서는 방정식
$f'(x)=0$이 중근 또는 허근을 가져야 한다.
즉, $f'(x)=0$의 판별식을 D라 하면
$\dfrac{D}{4}=a^2-6a\leq 0$, $a(a-6)\leq 0$
$\therefore 0\leq a\leq 6$

삼차함수 $y=f(x)$에서 $f'(x)=0$의 판별식을 D라 하면
(1) $D>0 \iff y=f(x)$는 극값을 갖는다.
(2) $D\leq 0 \iff y=f(x)$는 극값을 갖지 않는다.

05 $f(x)$가 실수 전체의 집합에서 미분가능한 함수이므로
$g(x)=\dfrac{f(x)}{2x+1}$도 닫힌구간 $[0, 4]$에서 연속이고 열린구간
$(0, 4)$에서 미분가능한 함수이다.
즉, 평균값 정리에 의하여 $\dfrac{g(4)-g(0)}{4-0}=g'(c)$인 c가
열린구간 $(0, 4)$에 존재한다.
$f(0)=4$, $f(4)=0$이므로 $g(0)=4$, $g(4)=0$
$\therefore g'(c)=\dfrac{0-4}{4}=-1$

06 점 P의 속력을 $|v_\text{P}|$라 하면
$|v_\text{P}|=|p'(t)|=|2t-11|$
점 Q의 속력을 $|v_\text{Q}|$라 하면
$|v_\text{Q}|=|q'(t)|=|t-4|$
$|v_\text{P}|<|v_\text{Q}|$에서 $|2t-11|<|t-4|$이므로
$(2t-11)^2<(t-4)^2$, $3t^2-36t+105<0$
$3(t-5)(t-7)<0$
$\therefore 5<t<7$
따라서 구하는 정수 t의 값은 6이다.

07 두 점 P, Q의 시각 t에서의 위치를 각각 $x_\text{P}(t)$, $x_\text{Q}(t)$라 하면
$x_\text{P}(t)=\displaystyle\int_0^t (3t^2+12t-4)\,dt=\Big[t^3+6t^2-4t\Big]_0^t$
$\qquad =t^3+6t^2-4t$
$x_\text{Q}(t)=\displaystyle\int_0^t (6t^2-2t+6)\,dt=\Big[2t^3-t^2+6t\Big]_0^t$
$\qquad =2t^3-t^2+6t$
두 점 P, Q가 만나려면 $x_\text{P}(t)=x_\text{Q}(t)$이어야 하므로
$t^3+6t^2-4t=2t^3-t^2+6t$
$t^3-7t^2+10t=0$, $t(t-2)(t-5)=0$
$\therefore t=0$ 또는 $t=2$ 또는 $t=5$
두 점 P, Q가 출발 후 처음으로 다시 만나는 시각은 $t=2$이므로
그때의 위치는
$x_\text{P}(2)=x_\text{Q}(2)=24$

08 주어진 그래프를 이용하여 함수 $f(x)$의 증가, 감소를 표로 나타내면 다음과 같다.

x	$\cdots$	a	$\cdots$	b	$\cdots$	c	$\cdots$
$f'(x)$	$-$	0	$+$	0	$+$	0	$-$
$f(x)$	↘	극소	↗		↗	극대	↘

ㄱ. 함수 $f(x)$는 $x=a$일 때 극솟값 $f(a)$, $x=c$일 때 극댓값 $f(c)$를 갖는다. (거짓)

ㄴ. $f(b)=0$이면 다항함수 $y=f(x)$의 그래프는 그림과 같다.
즉, $y=f(x)$의 그래프의 x절편이 3개이므로 방정식 $f(x)=0$은 서로 다른 세 실근을 갖는다. (참)

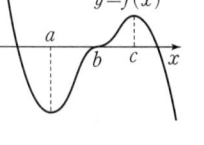

ㄷ. $f(c)=0$이면 다항함수 $y=f(x)$의 그래프는 그림과 같다.
즉, $y=f(x)$의 그래프는 x축과 $x<a$에서 만나고 $x=c$에서 접하므로 $x<a$에서 중근이 아닌 실근 1개와 $x=c$에서 중근 1개를 갖는다. (참)

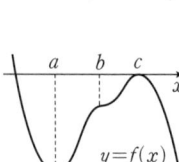

따라서 옳은 것은 ㄴ, ㄷ이다.

09 $f(x)-3=k$에서
$f(x)=k+3$ ······ ㉠
삼차함수 $f(x)$가 $x=a$에서 극댓값 5, $x=b$에서 극솟값 1을 갖는다고 하면 함수 $y=f(x)$의 그래프는 그림과 같다.

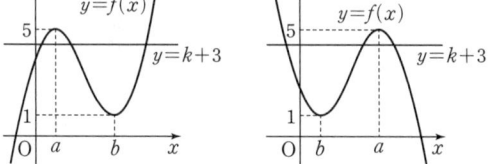
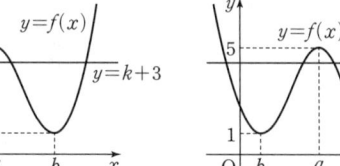

㉠이 서로 다른 세 실근을 가지려면 함수 $y=f(x)$의 그래프와 직선 $y=k+3$이 서로 다른 세 점에서 만나야 하므로
$1<k+3<5$
$\therefore -2<k<2$
따라서 $\alpha=-2$, $\beta=2$이므로
$\alpha\beta=-4$

10 $f(x)\geq g(x)$에서 $f(x)-g(x)\geq 0$이므로 $f(x)-g(x)$의 최솟값이 0보다 크거나 같아야 한다.
$h(x)=f(x)-g(x)$라 하면
$h(x)=5x^3-9x^2+k-(6x^2+2)$
$\qquad =5x^3-15x^2+k-2$
$h'(x)=15x^2-30x=15x(x-2)$
$h'(x)=0$에서 $x=0$ 또는 $x=2$
구간 $[0, 3]$에서 함수 $h(x)$의 증가, 감소를 표로 나타내면 다음과 같다.

x	0	$\cdots$	2	$\cdots$	3
$h'(x)$		$-$	0	$+$	
$h(x)$		↘	극소	↗	

구간 $[0, 3]$에서 함수 $h(x)$는 $x=2$에서 극소이면서 최소이므로
$h(2)=40-60+k-2=k-22\geq 0$
$\therefore k\geq 22$
따라서 구하는 k의 최솟값은 22이다.

11 $f(x+y)=f(x)+f(y)+3xy$에 $x=0$, $y=0$을 대입하면
$f(0)=f(0)+f(0)+0$
$\therefore f(0)=0$

$$f'(x)=\lim_{h\to 0}\frac{f(x+h)-f(x)}{h}$$
$$=\lim_{h\to 0}\frac{f(x)+f(h)+3xh-f(x)}{h}$$
$$=\lim_{h\to 0}\frac{f(h)}{h}+3x$$
$$=\lim_{h\to 0}\frac{f(h)-f(0)}{h}+3x$$
$$=f'(0)+3x$$
$$=3x$$

$$\therefore f(x)=\int f'(x)\,dx$$
$$=\int 3x\,dx=\frac{3}{2}x^2+C \text{ (단, } C\text{는 적분상수)}$$

$f(0)=0$이므로 $C=0$

따라서 $f(x)=\frac{3}{2}x^2$이므로

$$f(2)=\frac{3}{2}\times 4=6$$

12 $f(x)=\begin{cases} x & (x<1) \\ 2-x & (x\geq 1) \end{cases}$ 이므로

$$f(x-2)=\begin{cases} x-2 & (x<3) \\ 4-x & (x\geq 3) \end{cases}$$

$$\therefore \int_2^4 xf(x-2)\,dx$$
$$=\int_2^3 x(x-2)\,dx+\int_3^4 x(4-x)\,dx$$
$$=\int_2^3 (x^2-2x)\,dx+\int_3^4 (4x-x^2)\,dx$$
$$=\left[\frac{1}{3}x^3-x^2\right]_2^3+\left[2x^2-\frac{1}{3}x^3\right]_3^4$$
$$=\left\{(9-9)-\left(\frac{8}{3}-4\right)\right\}+\left\{\left(32-\frac{64}{3}\right)-(18-9)\right\}$$
$$=3$$

13 주어진 이차함수 $y=f(x)$의 그래프가 위로 볼록하고,
곡선 $y=f(x)$와 x축과의 교점의 x좌표가 $x=0$, $x=3$이므로
$f(x)=ax(x-3)\,(a<0)$으로 놓으면

$$F(x)=\int_x^{x+1} at(t-3)\,dt$$

위의 식의 양변을 x에 대하여 미분하면
$$F'(x)=a(x+1)(x-2)-ax(x-3)$$
$$=a(x^2-x-2-x^2+3x)$$
$$=2a(x-1)\,(a<0)$$

$F'(x)=0$에서 $x=1$

x	$\cdots$	1	$\cdots$
$F'(x)$	$+$	0	$-$
$F(x)$	↗	극대	↘

함수 $F(x)$는 $x=1$일 때, 극대이면서 최대이므로 최댓값은 $F(1)$이다.

14 $y=|x^2-x|=\begin{cases} x^2-x & (x\geq 1 \text{ 또는 } x\leq 0) \\ -x^2+x & (0<x<1) \end{cases}$

이므로 곡선 $y=|x^2-x|$과
직선 $y=2x+4$의 교점의 x좌표는
$x^2-x=2x+4$에서
$x^2-3x-4=0$
$(x+1)(x-4)=0$
$\therefore x=-1 \text{ 또는 } x=4$
따라서 구하는 넓이는

$$\int_{-1}^4 \{2x+4-(x^2-x)\}dx-2\int_0^1 (-x^2+x)dx$$
$$=\int_{-1}^4 (-x^2+3x+4)dx-2\int_0^1 (-x^2+x)dx$$
$$=\left[-\frac{1}{3}x^3+\frac{3}{2}x^2+4x\right]_{-1}^4-2\left[-\frac{1}{3}x^3+\frac{1}{2}x^2\right]_0^1$$
$$=\frac{125}{6}-\frac{2}{6}=\frac{41}{2}$$

[다른 풀이]
$$\int_{-1}^4 \{2x+4-(x^2-x)\}dx-2\int_0^1 (-x^2+x)dx$$
$$=\frac{(4+1)^3}{6}-2\times\frac{(1-0)^3}{6}=\frac{41}{2}$$

15 $\frac{d}{dx}\{f(x)+g(x)\}=3$의 양변을 x에 대하여 적분하면

$$\int\left[\frac{d}{dx}\{f(x)+g(x)\}\right]dx=\int 3\,dx$$
$f(x)+g(x)=3x+C_1$ (단, C_1은 적분상수)   ……㉠

$\frac{d}{dx}\{f(x)g(x)\}=4x+2$의 양변을 x에 대하여 적분하면

$$\int\left[\frac{d}{dx}\{f(x)g(x)\}\right]dx=\int (4x+2)dx$$
$f(x)g(x)=2x^2+2x+C_2$ (단, C_2는 적분상수)   ……㉡

㉠, ㉡에 $x=0$을 각각 대입하면
$f(0)+g(0)=C_1=1$
$f(0)g(0)=C_2=0$
$\therefore f(x)+g(x)=3x+1$ ……㉢
$\quad f(x)g(x)=2x^2+2x$
$\qquad =2x(x+1)$ ……㉣

㉢, ㉣에서
$\begin{cases} f(x)=2x \\ g(x)=x+1 \end{cases}$ 또는 $\begin{cases} f(x)=x+1 \\ g(x)=2x \end{cases}$

그런데 $f(0)=0$, $g(0)=1$이므로 $f(x)=2x$, $g(x)=x+1$
$\therefore f(2)+g(-2)=4+(-1)=3$

16 (A의 넓이)$<$(B의 넓이)이므로

그림과 같이
(A의 넓이)$=$(B_1의 넓이)가 성립하
도록 $B=B_1+B_2$로 나누는 x의 값
을 $\alpha\,(1<\alpha<3)$라 하면

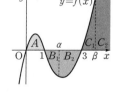

$$\int_0^1 |f(x)|\,dx=\int_1^\alpha |f(x)|\,dx$$

즉, $\int_0^1 f(x)dx = \int_1^\alpha f(x)dx$에서

$$\int_0^1 f(x)dx + \int_1^\alpha f(x)dx = 0$$

$$\therefore \int_0^\alpha f(x)dx = 0 \quad \cdots\cdots \bigcirc$$

또한, $x \geq 3$에서 곡선 $y=f(x)$와 x축으로 둘러싸인 부분을 C라 하고 $(B_2$의 넓이$)=(C_1$의 넓이$)$가 성립하도록 $C=C_1+C_2$로 나누는 x의 값을 β $(\beta > 3)$라 하면

$$\int_\alpha^3 |f(x)|dx = \int_3^\beta |f(x)|dx$$

즉, $-\int_\alpha^3 f(x)dx = \int_3^\beta f(x)dx$에서

$$\int_\alpha^3 f(x)dx + \int_3^\beta f(x)dx = 0$$

$$\therefore \int_\alpha^\beta f(x)dx = 0 \quad \cdots\cdots \bigcirc\!\!\!\!\bigcirc$$

$\bigcirc$, $\bigcirc\!\!\!\!\bigcirc$을 변끼리 더하면 $\int_0^\alpha f(x)dx + \int_\alpha^\beta f(x)dx = 0$

$$\therefore \int_0^\beta f(x)dx = 0 \quad \cdots\cdots \bigcirc\!\!\!\!\bigcirc\!\!\!\!\bigcirc$$

한편, $t > \beta$인 모든 t에 대하여 $f(t) > 0$이므로

$$\int_\beta^t f(x)dx > 0 \quad \therefore \int_0^t f(x)dx > 0$$

따라서 $\bigcirc$, $\bigcirc\!\!\!\!\bigcirc\!\!\!\!\bigcirc$에서

$\int_0^x f(t)dt = 0$을 만족시키는 x의 개수는 α, β의 2이다.

17 $f(x) = x^3 + ax^2 + bx + c$에서 $f'(x) = 3x^2 + 2ax + b$

(가)에서

$f(1) = 1 + a + b + c = 9$

$\therefore a + b + c = 8 \quad \cdots\cdots \bigcirc$

(나)에서 방정식 $f'(x) = 0$은 서로 다른 두 실근을 가지므로 판별식을 D라 하면

$$\frac{D}{4} = a^2 - 3b > 0 \quad \therefore b < \frac{a^2}{3} \quad \cdots\cdots \bigcirc\!\!\!\!\bigcirc$$

한편, $3x^2 + 2ax + b = 0$의 두 실근을 α, β라 하면 근과 계수의 관계에 의하여

$$\alpha + \beta = -\frac{2a}{3}, \ \alpha\beta = \frac{b}{3}$$

즉, 두 점 $(\alpha, f(\alpha))$, $(\beta, f(\beta))$를 이은 직선의 기울기는

$$\frac{f(\alpha) - f(\beta)}{\alpha - \beta} = \frac{\alpha^3 - \beta^3 + a(\alpha^2 - \beta^2) + b(\alpha - \beta)}{\alpha - \beta}$$
$$= \alpha^2 + \alpha\beta + \beta^2 + a(\alpha + \beta) + b$$
$$= (\alpha + \beta)^2 - \alpha\beta + a(\alpha + \beta) + b$$
$$= \left(-\frac{2a}{3}\right)^2 - \frac{b}{3} + a \times \left(-\frac{2a}{3}\right) + b$$
$$= -\frac{2}{9}(a^2 - 3b)$$

이때, (다)에서 $-\frac{2}{9}(a^2 - 3b) > -1$이므로

$$a^2 - 3b < \frac{9}{2} \quad \therefore b > \frac{a^2}{3} - \frac{3}{2} \quad \cdots\cdots \bigcirc\!\!\!\!\bigcirc\!\!\!\!\bigcirc$$

$\bigcirc\!\!\!\!\bigcirc$, $\bigcirc\!\!\!\!\bigcirc\!\!\!\!\bigcirc$에서 $\frac{a^2}{3} - \frac{3}{2} < b < \frac{a^2}{3} \quad \cdots\cdots \text{②}$

이때, a, b, c는 자연수이므로 $\bigcirc$, ②을 만족시키는 a, b, c의 순서쌍 (a, b, c)는

$(2, 1, 5)$, $(3, 2, 3)$

따라서 $a=3$, $b=2$, $c=3$일 때 abc의 최댓값은 18이다.

18 곡선 $y=f(x)$ 위의 점 $(t, f(t))$에서의 접선의 방정식은

$$y = f'(t)(x - t) + f(t)$$
$$= f'(t)x - tf'(t) + f(t)$$
$$= (t+1)x + g(t)$$

즉, $f'(t) = t + 1$, $g(t) = -tf'(t) + f(t)$이므로

$$f(x) = \int f'(x)dx = \int (x+1)dx$$
$$= \frac{1}{2}x^2 + x + C \ (\text{단, } C\text{는 적분상수})$$

함수 $f(x)$의 그래프의 y절편이 2이므로 $C=2$

$$\therefore f(x) = \frac{1}{2}x^2 + x + 2$$

$$g(x) = -xf'(x) + f(x)$$
$$= -x(x+1) + \frac{1}{2}x^2 + x + 2$$
$$= -\frac{1}{2}x^2 + 2$$

두 곡선 $y=f(x)$와 $y=g(x)$의 교점의 x좌표는

$\frac{1}{2}x^2 + x + 2 = -\frac{1}{2}x^2 + 2$에서 $x^2 + x = 0$

$x(x+1) = 0 \quad \therefore x = -1$ 또는 $x = 0$

따라서 두 곡선 $y=f(x)$, $y=g(x)$로 둘러싸인 부분의 넓이는 그림의 어두운 부분과 같으므로

$$\int_{-1}^0 \left\{\left(-\frac{1}{2}x^2 + 2\right) - \left(\frac{1}{2}x^2 + x + 2\right)\right\}dx$$
$$= \int_{-1}^0 (-x^2 - x)dx = \left[-\frac{1}{3}x^3 - \frac{1}{2}x^2\right]_{-1}^0$$
$$= -\left(\frac{1}{3} - \frac{1}{2}\right) = \frac{1}{6}$$

19 $\int_0^x f(t)dt = -2x^3 + 6x$의 양변을 x에 대하여 미분하면

$f(x) = -6x^2 + 6 \quad \cdots\cdots \text{㉮}$

다시 이 식을 x에 대하여 미분하면

$f'(x) = -12x \quad \cdots\cdots \text{㉯}$

$$\therefore \lim_{h \to 0} \frac{f(1+h) - f(1-h)}{2h}$$
$$= \frac{1}{2}\lim_{h \to 0} \frac{f(1+h) - f(1) - \{f(1-h) - f(1)\}}{h}$$
$$= \frac{1}{2}\lim_{h \to 0}\left\{\frac{f(1+h) - f(1)}{h} + \frac{f(1-h) - f(1)}{-h}\right\}$$
$$= \frac{1}{2} \times 2 \times f'(1) = -12 \quad \cdots\cdots \text{㉰}$$

채점 기준	배점
㉮ $f(x)$ 구하기	2점
㉯ $f'(x)$ 구하기	2점
㉰ 답 구하기	2점

20 $\int\left\{\dfrac{d}{dx}f(x)\right\}dx=f(x)+C_1$ (단, C_1은 적분상수)이므로

$$F(x)=\int\left[\dfrac{d}{dx}\int\left\{\dfrac{d}{dx}f(x)\right\}dx\right]dx$$

$$=\int\left[\dfrac{d}{dx}\{f(x)+C_1\}\right]dx$$

$$=f(x)+C \text{ (단, } C\text{는 적분상수)}$$

$\therefore F(x)=10x^{10}+9x^9+\cdots+2x^2+x+C$ ……㉮

$F(0)=3$이므로 $C=3$ ……㉯

따라서 $F(x)=10x^{10}+9x^9+\cdots+2x^2+x+3$이므로

$F(1)=10+9+\cdots+2+1+3$

$$=\dfrac{10\times11}{2}+3=58$$ ……㉰

채점 기준	배점
㉮ $F(x)$ 구하기	2점
㉯ $C=3$ 구하기	2점
㉰ 답 구하기	2점

21 $f(x)=ax^3+bx^2+cx+d$ (a, b, c, d는 상수)로 놓으면

$f'(x)=3ax^2+2bx+c$

(i) $\lim\limits_{x\to0}\dfrac{f(x)-5}{x}=12$에서 $f(0)=5$이므로

$\lim\limits_{x\to0}\dfrac{f(x)-5}{x}=\lim\limits_{x\to0}\dfrac{f(x)-f(0)}{x-0}$

$$=f'(0)=12$$

$\therefore f(0)=5,\ f'(0)=12$ ……㉠ ……㉮

(ii) $\lim\limits_{x\to-2}\dfrac{f(x)-9}{x+2}=-24$에서 $f(-2)=9$이므로

$\lim\limits_{x\to-2}\dfrac{f(x)-9}{x+2}=\lim\limits_{x\to-2}\dfrac{f(x)-f(-2)}{x-(-2)}$

$$=f'(-2)=-24$$

$\therefore f(-2)=9,\ f'(-2)=-24$ ……㉡ ……㉯

㉠에서

$f(0)=d=5,\ f'(0)=c=12$이므로

$f(x)=ax^3+bx^2+12x+5$

$f'(x)=3ax^2+2bx+12$

㉡에서

$f(-2)=-8a+4b-24+5=9$

$\therefore 2a-b=-7$ ……㉢

$f'(-2)=12a-4b+12=-24$

$\therefore 3a-b=-9$ ……㉣

㉢, ㉣을 연립하여 풀면

$a=-2,\ b=3$

즉, $f(x)=-2x^3+3x^2+12x+5$이므로 ……㉰

$f'(x)=-6x^2+6x+12$

$$=-6(x+1)(x-2)$$

$f'(x)=0$에서 $x=-1$ 또는 $x=2$

x	$\cdots$	-1	$\cdots$	2	$\cdots$
$f'(x)$	$-$	0	$+$	0	$-$
$f(x)$	↘	극소	↗	극대	↘

따라서 $f(x)$는 $x=2$에서 극대, $x=-1$에서 극소이므로

$\alpha=2,\ \beta=-1$

$\therefore \alpha-\beta=3$ ……㉱

채점 기준	배점
㉮ $f(0)=5,\ f'(0)=12$ 구하기	1점
㉯ $f(-2)=9,\ f'(-2)=-24$ 구하기	1점
㉰ $f(x)$ 구하기	1점
㉱ 답 구하기	1점

22 $\int_0^2 f(t)dt=a$ (a는 상수)로 놓으면 ……㉮

$f(x)=|x^2-1|+a$

$\therefore a=\int_0^2(|t^2-1|+a)dt$

$$=\int_0^1(1-t^2+a)dt+\int_1^2(t^2-1+a)dt$$

$$=\left[t-\dfrac{1}{3}t^3+at\right]_0^1+\left[\dfrac{1}{3}t^3-t+at\right]_1^2$$

$$=1-\dfrac{1}{3}+a+\left(\dfrac{8}{3}-2+2a\right)-\left(\dfrac{1}{3}-1+a\right)$$

$$=2+2a$$

즉, $2+2a=a$이므로 $a=-2$ ……㉯

$\therefore f(x)=|x^2-1|-2$

이때, $\{f(x)\}^2=x^4-2x^2-4|x^2-1|+5$이므로

$\int_0^1[\{f(x)\}^2-x^4+6x^2]^2dx$

$$=\int_0^1\{x^4-2x^2+4(x^2-1)+5-x^4+6x^2\}^2dx$$

$$=\int_0^1(8x^2+1)^2dx=\int_0^1(64x^4+16x^2+1)dx$$

$$=\left[\dfrac{64}{5}x^5+\dfrac{16}{3}x^3+x\right]_0^1$$

$$=\dfrac{64}{5}+\dfrac{16}{3}+1=\dfrac{287}{15}$$ ……㉰

채점 기준	배점
㉮ $\int_0^2 f(t)dt$를 상수로 놓기	3점
㉯ $a=-2$ 구하기	3점
㉰ 답 구하기	2점

> **핵심 포인트**
>
> 정적분을 포함한 함수
>
> $f(x)=g(x)+\int_a^b f(t)dt$ 꼴의 등식이 주어지면 $y=f(x)$는 다음과 같은 순서로 구한다.
>
> ① $\int_a^b f(t)dt=k$ (k는 상수)로 놓는다.
>
> ② $f(x)=g(x)+k$를 ①의 식에 대입하여 k의 값을 구한다.
>
> ③ k의 값을 $f(x)=g(x)+k$에 대입하여 $y=f(x)$를 구한다.

23 이차함수 $f(x)$를 $f(x)=ax^2+bx+c$ $(a\neq0)$로 놓으면

$f(0)=0$이므로

$f(x)=ax^2+bx$

조건 (가)에서 $\int_0^2 |f(x)|\,dx=-\int_0^2 f(x)\,dx$이므로

$0\leq x\leq2$에서 $f(x)\leq0$

조건 (나)에서 $\int_2^5 |f(x)|\,dx=\int_2^5 f(x)\,dx$이므로

$2\leq x\leq5$에서 $f(x)\geq0$

따라서 함수 $f(x)$의 그래프는 원점과 점 $(2,0)$을 지나고 아래로 볼록한 그래프이므로

$f(x)=ax(x-2)=ax^2-2ax$ ⋯⋯ ㉮

로 놓을 수 있다.

$\therefore \int_0^2 f(x)\,dx=\int_0^2 (ax^2-2ax)\,dx$

$\qquad\qquad =\left[\dfrac{1}{3}ax^3-ax^2\right]_0^2$

$\qquad\qquad =\dfrac{8}{3}a-4a$

$\qquad\qquad =-\dfrac{4}{3}a$ ⋯⋯ ㉯

즉, $\dfrac{4}{3}a=8$이므로 $a=6$

따라서 $f(x)=6x^2-12x$이므로

$f(10)=600-120=480$ ⋯⋯ ㉰

채점 기준	배점
㉮ $f(x)=ax^2-2ax$ 구하기	3점
㉯ $\int_0^2 f(x)\,dx=-\dfrac{4}{3}a$ 구하기	3점
㉰ 답 구하기	2점

20○○학년도 2학년 기말고사 (10회)

01 ③	02 ③	03 ①	04 ⑤	05 ③
06 ③	07 ②	08 ⑤	09 ①	10 ②
11 ②	12 ④	13 ①	14 ④	15 ②
16 ⑤	17 ⑤	18 ④	19 7	20 −2
21 10	22 35	23 15		

01 $\int_0^1 (x^2+x)\,dx+\int_1^0 (x^2-x)\,dx$

$=\int_0^1 (x^2+x)\,dx-\int_0^1 (x^2-x)\,dx$

$=\int_0^1 \{(x^2+x)-(x^2-x)\}\,dx$

$=\int_0^1 2x\,dx=\left[x^2\right]_0^1=1$

02 곡선 $y=f(x)$ 위의 점 (x,y)에서의 접선의 기울기가 $2x+1$이므로

$f'(x)=2x+1$

$\therefore f(x)=\int f'(x)\,dx$

$\qquad =\int (2x+1)\,dx$

$\qquad =x^2+x+C$

곡선 $y=f(x)$가 점 $(0,5)$를 지나므로 $f(0)=C=5$

따라서 $f(x)=x^2+x+5$이므로

$f(-1)=1-1+5=5$

03 $f(x)=\int_2^x (t^2+2)(t-3)dt$의 양변을 x에 대하여 미분하면

$f'(x)=(x^2+2)(x-3)$

$\therefore f'(1)=3\times(-2)=-6$

$\therefore \displaystyle\lim_{h\to0}\dfrac{f(1+3h)-f(1)}{h}=\lim_{h\to0}\dfrac{f(1+3h)-f(1)}{3h}\times3$

$\qquad\qquad\qquad =3f'(1)=3\times(-6)$

$\qquad\qquad\qquad =-18$

04 $f(x)=x^3+ax^2+ax+3$에서 $f'(x)=3x^2+2ax+a$

함수 $f(x)$가 극댓값과 극솟값을 가지려면 방정식 $f'(x)=0$이 서로 다른 두 실근을 가져야 한다.

즉, $f'(x)=0$의 판별식을 D라 하면

$\dfrac{D}{4}=a^2-3a>0$, $a(a-3)>0$

$\therefore a<0$ 또는 $a>3$

05 $f(x)=x^4-4a^3x+12$라 하면

$f'(x)=4x^3-4a^3$

$\qquad =4(x^3-a^3)$

$\qquad =4(x-a)(x^2+ax+a^2)$

$x^2+ax+a^2=\left(x+\dfrac{1}{2}a\right)^2+\dfrac{3}{4}a^2\geq0$이므로

$f'(x)=0$에서 $x=a$

함수 $f(x)$의 증가, 감소를 표로 나타내면 다음과 같다.

x	$\cdots$	a	$\cdots$
$f'(x)$	$-$	0	$+$
$f(x)$	$\searrow$	$12-3a^4$	$\nearrow$

함수 $f(x)$는 $x=a$에서 최솟값을 가지므로 모든 실수 x에 대하여 $f(x)>0$이려면

$f(a)=12-3a^4=-3(a^4-4)$
$\qquad\quad=-3(a^2+2)(a^2-2)>0$

$a^2+2>0$이므로 $a^2-2<0$

$(a+\sqrt{2})(a-\sqrt{2})<0$

$\therefore -\sqrt{2}<a<\sqrt{2}$

따라서 정수 a의 개수는 -1, 0, 1의 3이다.

> **핵심 포인트**
>
> 모든 실수에서 부등식이 항상 성립할 조건
> (1) 모든 실수 x에 대하여 부등식 $f(x)>0$이 성립할 조건은
>   ($f(x)$의 최솟값)>0
> (2) 모든 실수 x에 대하여 부등식 $f(x)<0$이 성립할 조건은
>   ($f(x)$의 최댓값)<0

06 $f'(x)=kx(x-2)$ $(k<0)$라 하면

$f(x)=\displaystyle\int f'(x)\,dx$
$\qquad=\displaystyle\int kx(x-2)\,dx$
$\qquad=\displaystyle\int (kx^2-2kx)\,dx$
$\qquad=\dfrac{k}{3}x^3-kx^2+C$

$f'(x)=0$에서 $x=0$ 또는 $x=2$

함수 $y=f(x)$의 증가, 감소를 표로 나타내면 다음과 같다.

x	$\cdots$	0	$\cdots$	2	$\cdots$
$f'(x)$	$-$	0	$+$	0	$-$
$f(x)$	$\searrow$	극소	$\nearrow$	극대	$\searrow$

즉, $y=f(x)$는 $x=0$에서 극솟값 2를 갖고, $x=2$에서 극댓값 4를 가지므로

$f(0)=C=2$, $f(2)=\dfrac{8}{3}k-4k+2=4$

$\therefore k=-\dfrac{3}{2}$

따라서 $f(x)=-\dfrac{1}{2}x^3+\dfrac{3}{2}x^2+2$이므로

$f(1)=-\dfrac{1}{2}+\dfrac{3}{2}+2=3$

07 점 A의 시각 $t=a$에서의 위치는

$15+\displaystyle\int_0^a (2t-6)\,dt=15+\Big[t^2-6t\Big]_0^a$
$\qquad\qquad\qquad\qquad\quad=a^2-6a+15$
$\qquad\qquad\qquad\qquad\quad=(a-3)^2+6$

따라서 점 A는 $t=3$일 때 원점에서 가장 가까이 있으며 그때의 점 A의 좌표는 6이다.

> **핵심 포인트**
>
> 위치의 변화량
> 수직선 위를 움직이는 점 P의 시각 t에서의 속도를 $v(t)$, 시각 $t=a$에서의 위치를 $s(a)$라 할 때,
> (1) 시각 t에서의 점 P의 위치 $s(t)$는
> $\Rightarrow s(t)=s(a)+\displaystyle\int_a^t v(t)\,dt$
> (2) 시각 $t=a$에서 $t=b$까지 점 P의 위치의 변화량
> $\Rightarrow \displaystyle\int_a^b v(t)\,dt$

08 두 점 P, Q가 만날 때, 두 점 P, Q의 위치가 같으므로

$t^2-4t+5=2t$, $t^2-6t+5=0$

$(t-1)(t-5)=0$

$\therefore t=1$ 또는 $t=5$

즉, $t=5$일 때, 두 점 P, Q가 두 번째로 만난다.

두 점 P, Q의 시각 t에서의 속도는 각각

$P'(t)=2t-4$, $Q'(t)=2$

이므로 $t=5$에서의 속도는

$P'(5)=2\times5-4=6$, $Q'(5)=2$

따라서 $p=6$, $q=2$이므로

$p+q=8$

09 함수 $f(x)$가 닫힌구간 $[x-1,\ x+1]$에서 연속이고 열린구간 $(x-1,\ x+1)$에서 미분가능하므로 평균값 정리에 의하여

$\dfrac{f(x+1)-f(x-1)}{(x+1)-(x-1)}=f'(c)$

인 c가 구간 $(x-1,\ x+1)$에 적어도 하나 존재한다.

즉, $f(x+1)-f(x-1)=2f'(c)$이고,

$x-1<c<x+1$에서 $x\to\infty$일 때, $c\to\infty$이므로

$\displaystyle\lim_{x\to\infty}\{f(x+1)-f(x-1)\}$
$=\displaystyle\lim_{c\to\infty}2f'(c)$
$=\displaystyle\lim_{x\to\infty}2f'(x)=24$

10 함수 $y=f(x)$가 $x=-1$에서 극댓값 1을 가지므로

$f(-1)=1$, $f'(-1)=0$

$g(x)=xf(x)$라 하면

$g'(x)=f(x)+xf'(x)$이므로

$g(-1)=-f(-1)=-1$

$g'(-1)=f(-1)-f'(-1)=1$

즉, 접점의 좌표는 $(-1,\ -1)$이고, 접선의 기울기는 1이므로 접선의 방정식은

$y-(-1)=x-(-1)$

$\therefore y=x$

따라서 점 $(-1,\ 1)$에서 직선 $x-y=0$에 이르는 거리는

$\dfrac{|-1-1|}{\sqrt{1^2+(-1)^2}}=\dfrac{2}{\sqrt{2}}=\sqrt{2}$

11 $f'(x)=\begin{cases}2x+3 & (x\geq -1)\\ k & (x<-1)\end{cases}$ 에서

$f(x)=\int f'(x)\,dx$

$=\begin{cases}x^2+3x+C_1 & (x\geq -1)\\ kx+C_2 & (x<-1)\end{cases}$

$f(0)=1$ 이므로 $C_1=1$

$f(-2)=4$ 이므로 $-2k+C_2=4$ ······㉠

함수 $y=f(x)$ 가 $x=-1$ 에서 연속이므로

$1-3+C_1=-k+C_2$

$\therefore -1=-k+C_2$ ······㉡

㉠, ㉡을 연립하여 풀면

$C_2=-6,\ k=-5$

$\therefore f(x)=\begin{cases}x^2+3x+1 & (x\geq -1)\\ -5x-6 & (x<-1)\end{cases}$

$\therefore f(-3)=15-6=9$

12 함수 $y=f(x)$ 의 그래프와 함수 $y=f(6-x)$ 의 그래프는

직선 $x=3$ 에 대하여 대칭이므로

$\displaystyle\int_0^6 f(x)\,dx=\int_0^3 f(x)\,dx+\int_3^6 f(x)\,dx$

$=\displaystyle\int_0^3 f(x)\,dx+\int_0^3 f(6-x)\,dx$

$=\displaystyle\int_0^3 \{f(x)+f(6-x)\}\,dx$

$=\displaystyle\int_0^3 (-3x^2+16x)\,dx$

$=\Big[-x^3+8x^2\Big]_0^3$

$=45$

13 $\displaystyle\int_1^x (x-t)f(t)\,dt=x^3-ax^2+bx+4$ 의 양변에 $x=1$ 을

대입하면

$0=1-a+b+4$ $\therefore a-b=5$ ······㉠

$\displaystyle\int_1^x (x-t)f(t)\,dt=x^3-ax^2+bx+4$ 에서

$x\displaystyle\int_1^x f(t)\,dt-\int_1^x tf(t)\,dt=x^3-ax^2+bx+4$

위의 식의 양변을 x 에 대하여 미분하면

$\displaystyle\int_1^x f(t)\,dt+xf(x)-xf(x)=3x^2-2ax+b$

$\therefore \displaystyle\int_1^x f(t)\,dt=3x^2-2ax+b$

위의 식의 양변에 $x=1$ 을 대입하면

$0=3-2a+b$ $\therefore 2a-b=3$ ······㉡

㉠, ㉡을 연립하여 풀면 $a=-2,\ b=-7$

$\therefore a+b=-9$

14 $y=|x^2-9|=\begin{cases}x^2-9 & (x\geq 3\ \text{또는}\ x\leq -3)\\ -x^2+9 & (-3<x<3)\end{cases}$

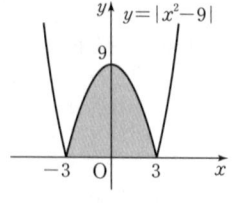

따라서 구하는 넓이는

$\displaystyle\int_{-3}^3 (-x^2+9)\,dx=2\int_0^3 (-x^2+9)\,dx$

$=2\Big[-\dfrac{1}{3}x^3+9x\Big]_0^3$

$=2\times 18=36$

15 곡선 $y=x^3-(2+m)x^2+3mx$ 와 직선 $y=mx$ 의 교점의 x 좌

표는

$x^3-(2+m)x^2+3mx=mx$

$x^3-(2+m)x^2+2mx=0$

$x(x-2)(x-m)=0$

$\therefore x=0$ 또는 $x=2$ 또는 $x=m$

곡선 $y=x^3-(2+m)x^2+3mx$ 와 직선 $y=mx$ 로 둘러싸인 두

부분의 넓이가 서로 같으므로

$\displaystyle\int_0^m \{x^3-(2+m)x^2+3mx-mx\}\,dx=0$

$\Big[\dfrac{x^4}{4}-\dfrac{(2+m)}{3}x^3+mx^2\Big]_0^m=0$

$\dfrac{m^4}{4}-\dfrac{(2+m)m^3}{3}+m^3=0$

$m^3(-m+4)=0$

$\therefore m=4\ (\because m>2)$

16 $y=1-x^2$ 에서 $y'=-2x$ 이므로

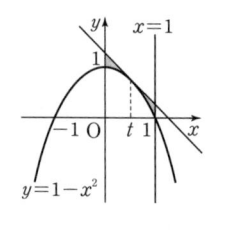

점 $(t,\ 1-t^2)$ 에서의 접선의 방정식은

$y-(1-t^2)=-2t(x-t)$

$\therefore y=-2tx+t^2+1$

그림에서 어두운 부분의 넓이는

$\dfrac{1}{12}$ 이므로

$\displaystyle\int_0^1 \{(-2tx+t^2+1)-(1-x^2)\}\,dx$

$=\displaystyle\int_0^1 (x^2-2tx+t^2)\,dx$

$=\Big[\dfrac{1}{3}x^3-tx^2+t^2x\Big]_0^1$

$=\dfrac{1}{3}-t+t^2=\dfrac{1}{12}$

즉, $t^2-t+\dfrac{1}{4}=0,\ \Big(t-\dfrac{1}{2}\Big)^2=0$

$\therefore t=\dfrac{1}{2}$

17 최고차항의 계수가 1이고 모든 실수 x 에 대하여

$f(-x)=-f(x)$ 를 만족시키는 삼차함수 $f(x)$ 의 그래프는 다

음과 같이 두 가지 경우가 있다.

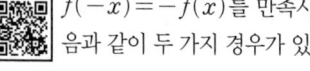

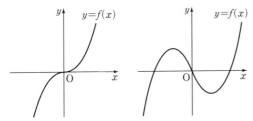

방정식 $|f(x)|=4\sqrt{2}$의 서로 다른 실근의 개수가 4인 경우는 다음 그림과 같다.

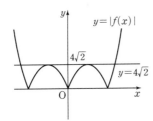

즉, $f(x)$의 극솟값은 $-4\sqrt{2}$, 극댓값은 $4\sqrt{2}$이므로

$f(x)=x^3-bx$로 놓으면

$f'(x)=3x^2-b=0$에서 $x=\pm\sqrt{\dfrac{b}{3}}$

이때, $f\left(\sqrt{\dfrac{b}{3}}\right)=-4\sqrt{2}$이므로

$\left(\sqrt{\dfrac{b}{3}}\right)^3-b\left(\sqrt{\dfrac{b}{3}}\right)=-4\sqrt{2}$

$b^3=216$ $\therefore b=6$

따라서 $f(x)=x^3-6x$이므로

$f(4)=4^3-6\times4=40$

18 함수 $y=g(x)$는

$$g(x)=\begin{cases}f(x+1)-1 & (-1\leq x<0)\\ f(x) & (0\leq x<1)\\ f(x-1)+1 & (1\leq x<2)\\ \vdots \\ f(x-4)+4 & (4\leq x<5)\end{cases}$$

이다. 함수 $y=g(x)$가 $x=1$에서 연속이므로

$g(1)=\lim\limits_{x\to1-}g(x)=\lim\limits_{x\to1+}g(x)$

$g(1)=f(0)+1$이고

$\lim\limits_{x\to1-}g(x)=\lim\limits_{x\to1-}f(x)=f(1)=1$이므로

$f(0)+1=1$ $\therefore f(0)=0$ ······㉠

함수 $y=g(x)$가 $x=1$에서 미분가능하므로

$\lim\limits_{x\to1+}\dfrac{g(x)-g(1)}{x-1}=\lim\limits_{x\to1-}\dfrac{g(x)-g(1)}{x-1}$이다.

$\lim\limits_{x\to1+}\dfrac{g(x)-g(1)}{x-1}=\lim\limits_{x\to1+}\dfrac{f(x-1)+1-g(1)}{x-1}$

$\qquad=\lim\limits_{x\to1+}\dfrac{f(x-1)}{x-1}=\lim\limits_{x\to0+}\dfrac{f(x)}{x}=f'(0)$

$\lim\limits_{x\to1-}\dfrac{g(x)-g(1)}{x-1}=\lim\limits_{x\to1-}\dfrac{f(x)-f(1)}{x-1}$

$\qquad=f'(1)=1$

이므로 $f'(0)=1$ ······㉡

함수 $y=f(x)$는 최고차항의 계수가 1인 사차함수이므로

$f(x)=x^4+ax^3+bx^2+cx+d$ (a, b, c, d는 상수)라 하자.

$f'(x)=4x^3+3ax^2+2bx+c$이므로

㉠, ㉡에서 $c=1, d=0$

$f(1)=f'(1)=1$에서

$f(1)=1+a+b+1=1$ ······㉢

$f'(1)=4+3a+2b+1=1$ ······㉣

㉢, ㉣을 연립하여 풀면 $a=-2, b=1$

$\therefore f(x)=x^4-2x^3+x^2+x$

$\displaystyle\int_0^4 g(x)dx$

$=\displaystyle\int_0^1 g(x)\,dx+\int_1^2 g(x)\,dx+\int_2^3 g(x)\,dx+\int_3^4 g(x)\,dx$

$=\displaystyle\int_0^1 f(x)\,dx+\int_1^2\{f(x-1)+1\}\,dx$

$\qquad+\displaystyle\int_2^3\{f(x-2)+2\}\,dx+\int_3^4\{f(x-3)+3\}\,dx$

$=\displaystyle\int_0^1 f(x)\,dx+\int_0^1\{f(x)+1\}\,dx$

$\qquad+\displaystyle\int_0^1\{f(x)+2\}\,dx+\int_0^1\{f(x)+3\}\,dx$

$=\displaystyle\int_0^1\{4f(x)+6\}\,dx$

$\displaystyle\int_0^1 f(x)\,dx=\int_0^1(x^4-2x^3+x^2+x)\,dx$

$\qquad=\left[\dfrac{1}{5}x^5-\dfrac{1}{2}x^4+\dfrac{1}{3}x^3+\dfrac{1}{2}x^2\right]_0^1$

$\qquad=\dfrac{8}{15}$

$\therefore \displaystyle\int_0^4 g(x)\,dx$

$=\displaystyle\int_0^1\{4f(x)+6\}\,dx$

$=4\times\dfrac{8}{15}+6=\dfrac{122}{15}$

19 $f(x)=\displaystyle\int\dfrac{x^2}{x-3}\,dx-\int\dfrac{9}{x-3}\,dx$

$\qquad=\displaystyle\int\dfrac{x^2-9}{x-3}\,dx$

$\qquad=\displaystyle\int\dfrac{(x+3)(x-3)}{x-3}\,dx$

$\qquad=\displaystyle\int(x+3)\,dx$

$\qquad=\dfrac{1}{2}x^2+3x+C$ ·····㉮

$f(0)=-1$이므로 $C=-1$ ······㉯

따라서 $f(x)=\dfrac{1}{2}x^2+3x-1$이므로

$f(2)=2+6-1=7$ ······㉰

채점 기준	배점
㉮ $f(x)=\dfrac{1}{2}x^2+3x+C$ 구하기	2점
㉯ $C=-1$ 구하기	2점
㉰ 답 구하기	2점

20 $f(x)=x^3+3x^2+24|x-2a|+3$
$$=\begin{cases} x^3+3x^2+24x-48a+3 & (x\geq 2a) \\ x^3+3x^2-24x+48a+3 & (x<2a) \end{cases}$$

(i) $x\geq 2a$일 때,
$f'(x)=3x^2+6x+24=3(x+1)^2+21>0$이므로
함수 $y=f(x)$는 증가한다. ......㉮

(ii) $x<2a$일 때,
$f'(x)=3x^2+6x-24=3(x^2+2x-8)$
$\qquad =3(x+4)(x-2)$
함수 $y=f(x)$가 증가하려면 $f'(x)\geq 0$이어야 하므로
$(x+4)(x-2)\geq 0$에서 $x\leq -4$ 또는 $x\geq 2$
따라서 $2a\leq -4$이어야 하므로 $a\leq -2$ ......㉯

(i), (ii)에서 $a\leq -2$
따라서 실수 a의 최댓값은 -2이다. ......㉰

채점 기준	배점
㉮ $x\geq 2a$일 때 $f'(x)>0$임을 보이기	2점
㉯ $x<2a$일 때 $a\leq -2$ 구하기	2점
㉰ 답 구하기	2점

21 $g(x)=(x^3+2)f(x)$에서
$g'(x)=3x^2f(x)+(x^3+2)f'(x)$ ......㉮
$g(x)$가 $x=1$에서 극솟값 30을 가지므로
$g(1)=30,\, g'(1)=0$
$g(1)=3f(1)=30$에서 $f(1)=10$
$g'(1)=3f(1)+3f'(1)=0$에서
$30+3f'(1)=0$ $\quad\therefore f'(1)=-10$ ......㉯
$\therefore 2f(1)+f'(1)=20+(-10)=10$ ......㉰

채점 기준	배점
㉮ $g'(x)$ 구하기	2점
㉯ $f(1)$, $f'(1)$의 값 구하기	2점
㉰ 답 구하기	2점

22 $\overline{\text{OH}}=x\,(0<x<6)$라 하면 △OPH에서
$\overline{\text{PH}}^2=36-x^2$
△APH를 선분 AB를 축으로 하여 회전시켜 생긴 원뿔의 부피를 V라 하면
$V=\dfrac{1}{3}\pi\times\overline{\text{PH}}^2\times\overline{\text{AH}}=\dfrac{1}{3}\pi(36-x^2)(6+x)$ ......㉮

$V'=\dfrac{1}{3}\pi\{-2x(6+x)+(36-x^2)\}=-\pi(x+6)(x-2)$

$V'=0$에서 $x=2\,(\because 0<x<6)$ ......㉯

x	(0)	$\cdots$	2	$\cdots$	(6)
V'		+	0	-	
V		↗	극대	↘	

즉, 부피 V는 $x=2$일 때 최대이며 최댓값은
$\dfrac{1}{3}\pi(36-4)(6+2)=\dfrac{8\times 32}{3}\pi$ ......㉰
따라서 $a=32,\, b=3$이므로
$a+b=35$ ......㉱

채점 기준	배점
㉮ V에 대한 식 정리하기	2점
㉯ $X=2$ 구하기	2점
㉰ 부피 V의 최댓값 구하기	2점
㉱ 답 구하기	2점

23 $\displaystyle\int_{-1}^{1}f(t)dt=a,\,\int_{-1}^{1}tf(t)dt=b\,(a,\,b$는 상수)로 놓으면
$f(x)=5x^4+4x^3+3ax^2-b$이므로 ......㉮
$a=\displaystyle\int_{-1}^{1}(5t^4+4t^3+3at^2-b)\,dt$
$\quad =2\displaystyle\int_{0}^{1}(5t^4+3at^2-b)\,dt$
$\quad =2\Big[t^5+at^3-bt\Big]_{0}^{1}$
$\quad =2+2a-2b$
즉, $2+2a-2b=a$에서
$a-2b=-2$ ......㉠
$b=\displaystyle\int_{-1}^{1}(5t^5+4t^4+3at^3-bt)\,dt$
$\quad =2\displaystyle\int_{0}^{1}4t^4\,dt$
$\quad =8\Big[\dfrac{1}{5}t^5\Big]_{0}^{1}=\dfrac{8}{5}$
$\therefore b=\dfrac{8}{5}$

$b=\dfrac{8}{5}$을 ㉠에 대입하면 $a=\dfrac{6}{5}$ ......㉯

$\therefore f(x)=5x^4+4x^3+\dfrac{18}{5}x^2-\dfrac{8}{5}$

$f(t)=5t^4+4t^3+\dfrac{18}{5}t^2-\dfrac{8}{5}$이고 함수 $y=f(t)$의 한 부정적분을 함수 $y=F(t)$라 하면
$\displaystyle\lim_{x\to 1}\dfrac{1}{x-1}\int_{1}^{x}f(t)dt=\lim_{x\to 1}\dfrac{F(x)-F(1)}{x-1}$
$\qquad\qquad\qquad =F'(1)=f(1)$
$\qquad\qquad\qquad =11$ ......㉰

$\therefore g(4)=4+11=15$ ......㉱

채점 기준	배점
㉮ $f(x)$에 대한 식 정리하기	2점
㉯ $a,\,b$의 값 구하기	2점
㉰ $\displaystyle\lim_{x\to 1}\dfrac{1}{x-1}\int_{1}^{x}f(t)dt=11$ 구하기	2점
㉱ 답 구하기	2점

[부록 1회] 미분계수와 도함수

01 ②	02 ②	03 ④	04 ⑤	05 ③
06 ①	07 -1	08 -15		

01 x의 값이 -1에서 1까지 변할 때의 평균변화율은

$$\frac{f(1)-f(-1)}{1-(-1)}=\frac{(1-a)-(-1-a)}{2}$$

$$=\frac{2}{2}=1$$

또 $x=b$에서의 미분계수는

$f(x)=x^3-ax^2$에서

$f'(x)=3x^2-2ax$이므로

$f'(b)=3b^2-2ab$

즉, $3b^2-2ab=1$에서

$3b^2-2ab-1=0$ ······㉠

따라서 ㉠을 만족시키는 b의 값들의 합은 근과 계수의 관계에 의하여

$$\frac{2a}{3}=4 \qquad \therefore a=6$$

> **핵심포인트**
>
> 평균변화율
> 함수 $y=f(x)$에서 x의 값이 a에서 b까지 변할 때의 평균변화율은
> $$\frac{\Delta y}{\Delta x}=\frac{f(b)-f(a)}{b-a}=\frac{f(a+\Delta x)-f(a)}{\Delta x}$$

02
$$\lim_{h\to 0}\frac{f(1+2h)-f(1)}{3h}=\lim_{h\to 0}\frac{f(1+2h)-f(1)}{2h}\times\frac{2}{3}$$
$$=\frac{2}{3}f'(1)=\frac{2}{3}\times 6$$
$$=4$$

03
$$\lim_{x\to 1}\frac{f(x^3)-f(1)}{x-1}=\lim_{x\to 1}\frac{f(x^3)-f(1)}{(x-1)(x^2+x+1)}\times(x^2+x+1)$$
$$=\lim_{x\to 1}\frac{f(x^3)-f(1)}{x^3-1}\times(x^2+x+1)$$
$$=3f'(1)=3\times 6=18$$

04 $f(1)=4$, $f'(1)=2$이므로

$$\lim_{x\to 1}\frac{x^2f(1)-f(x^2)}{x-1}$$
$$=\lim_{x\to 1}\frac{x^2f(1)-f(1)+f(1)-f(x^2)}{x-1}$$
$$=\lim_{x\to 1}\frac{x^2-1}{x-1}\times f(1)-\lim_{x\to 1}\frac{f(x^2)-f(1)}{x-1}$$
$$=\lim_{x\to 1}\frac{x^2-1}{x-1}\times f(1)-\lim_{x\to 1}\left\{\frac{f(x^2)-f(1)}{x^2-1}\times(x+1)\right\}$$
$$=\lim_{x\to 1}(x+1)f(1)-2f'(1)$$
$$=2f(1)-2f'(1)$$
$$=8-4=4$$

05 주어진 식에 $x=0$, $y=0$을 대입하면

$f(0)=f(0)+f(0)-1$에서 $f(0)=1$이므로

$$f'(2)=\lim_{h\to 0}\frac{f(2+h)-f(2)}{h}$$
$$=\lim_{h\to 0}\frac{f(2)+f(h)+4h-1-f(2)}{h}$$
$$=\lim_{h\to 0}\frac{f(h)-1}{h}+4$$

즉, $\lim_{h\to 0}\dfrac{f(h)-1}{h}+4=6$에서

$$\lim_{h\to 0}\frac{f(h)-1}{h}=2$$

$$\therefore f'(0)=\lim_{h\to 0}\frac{f(0+h)-f(0)}{h}$$
$$=\lim_{h\to 0}\frac{f(h)-1}{h}=2$$

06
$$\lim_{x\to 1}\frac{f(x^2)-f(1)}{x-1}=\lim_{x\to 1}\frac{f(x^2)-f(1)}{x^2-1}\times(x+1)$$
$$=2f'(1)=2$$
$$\therefore f'(1)=1$$
$$\lim_{x\to 2}\frac{x-2}{f(x)-f(2)}=\lim_{x\to 2}\frac{1}{\dfrac{f(x)-f(2)}{x-2}}$$
$$=\frac{1}{f'(2)}=\frac{1}{3}$$
$$\therefore f'(2)=3$$

이때, $f'(x)=2ax+b$이므로

$f'(1)=2a+b=1$ ······㉠

$f'(2)=4a+b=3$ ······㉡

㉠, ㉡을 연립하여 풀면

$a=1$, $b=-1$

$$\therefore a^2+b^2=2$$

07 $f(-1)=8$이므로 $1+a-b+a=8$

$\therefore 2a-b=7$ ······㉠ ······㉮

$$\lim_{x\to 1}\frac{f(x)-f(1)}{x^3-1}=\lim_{x\to 1}\left\{\frac{f(x)-f(1)}{x-1}\times\frac{1}{x^2+x+1}\right\}$$
$$=\frac{1}{3}\times f'(1)=\frac{11}{3}$$

$\therefore f'(1)=11$

이때, $f'(x)=10x^9+2ax+b$이므로

$f'(1)=10+2a+b=11$

$\therefore 2a+b=1$ ······㉡ ······㉯

㉠, ㉡을 연립하여 풀면

$a=2$, $b=-3$

$\therefore a+b=-1$ ······㉰

채점 기준	배점
㉮ $2a-b=7$ 구하기	2점
㉯ $2a+b=1$ 구하기	2점
㉰ 답 구하기	2점

08 $\lim\limits_{x \to ?} \dfrac{f(x+1)-8}{x^2-4}=6$에서 $x \to 2$일 때 (분모)$\to 0$이므로

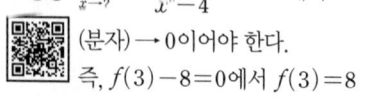

(분자)$\to 0$이어야 한다.

즉, $f(3)-8=0$에서 $f(3)=8$ ······ ㉠ ······ ㉮

$g(x)=f(x+1)$로 놓으면

$f(x)=x^2+5ax+b$에 대하여

$g(x)=(x+1)^2+5a(x+1)+b$

이때, $f(3)=g(2)=8$이므로

$\lim\limits_{x \to 2} \dfrac{f(x+1)-8}{x^2-4}=\lim\limits_{x \to 2} \dfrac{g(x)-g(2)}{x^2-4}$

$\qquad\qquad\qquad=\lim\limits_{x \to 2} \dfrac{g(x)-g(2)}{x-2} \times \dfrac{1}{x+2}$

$\qquad\qquad\qquad=\dfrac{1}{4}g'(2)=6$

$\therefore g'(2)=24$ ······ ㉯

한편, $g'(x)=2x+2+5a$에서

$g'(2)=6+5a=24$

$\therefore a=\dfrac{18}{5}$

$\therefore f(x)=x^2+18x+b$

㉠에서 $f(3)=9+54+b=8$

$\therefore b=-55$ ······ ㉰

따라서 $f(x)=x^2+18x-55$이므로

$f(2)=4+36-55=-15$ ······ ㉱

채점 기준	배점
㉮ $f(3)=8$ 구하기	2점
㉯ $g'(2)=24$ 구하기	2점
㉰ $a=\dfrac{18}{5}$, $b=-55$ 구하기	2점
㉱ 답 구하기	2점

> **핵심 포인트**
>
> $\lim\limits_{x \to a} \dfrac{f(x)}{g(x)}=\alpha$ (α는 실수)이고
>
> $\lim\limits_{x \to a} g(x)=0$이면
>
> ➡ $\lim\limits_{x \to a} f(x)=0$

---

01 $f(x)=(x^2+1)g(x)$이므로

$f'(x)=2xg(x)+(x^2+1)g'(x)$

$\therefore f'(1)=2g(1)+2g'(1)$

이때, $f'(1)=10$, $g(1)=2$이므로

$10=4+2g'(1)$ $\therefore g'(1)=3$

> **핵심 포인트**
>
> 곱의 미분법
>
> 두 함수 $y=f(x)$, $y=g(x)$가 미분가능할 때,
>
> 함수 $y=f(x)g(x)$의 도함수는
>
> $\qquad y'=f'(x)g(x)+f(x)g'(x)$

02 $g(x)=xf(x)$에서 $g(1)=f(1)$

$f'(x)=4x^3-6x^2$, $g'(x)=f(x)+xf'(x)$

$\therefore \lim\limits_{h \to 0} \dfrac{f(1+h)-g(1-h)}{3h}$

$=\lim\limits_{h \to 0} \dfrac{f(1+h)-f(1)-\{g(1-h)-g(1)\}}{3h}$

$\qquad\qquad\qquad\qquad (\because f(1)=g(1))$

$=\dfrac{1}{3}\lim\limits_{h \to 0} \dfrac{f(1+h)-f(1)}{h}+\dfrac{1}{3}\lim\limits_{h \to 0} \dfrac{g(1-h)-g(1)}{-h}$

$=\dfrac{1}{3}f'(1)+\dfrac{1}{3}g'(1)$

$=\dfrac{1}{3}(4-6)+\dfrac{1}{3}(3-2)$

$=-\dfrac{2}{3}+\dfrac{1}{3}=-\dfrac{1}{3}$

[다른 풀이]

$\lim\limits_{h \to 0} \dfrac{f(1+h)-g(1-h)}{3h}$

$=\lim\limits_{h \to 0} \dfrac{f(1+h)-(1-h)f(1-h)}{3h}$

$=\lim\limits_{h \to 0} \dfrac{f(1+h)-f(1-h)}{3h}+\lim\limits_{h \to 0} \dfrac{hf(1-h)}{3h}$

$=\dfrac{2}{3}f'(1)+\dfrac{f(1)}{3}$

$=-\dfrac{4}{3}+1=-\dfrac{1}{3}$

03 $\lim\limits_{x \to 1} \dfrac{f(x)-f(1)}{x-1}=f'(1)=3$ ······ ㉠

$\lim\limits_{x \to 2} \dfrac{x^3-8}{f(x)-f(2)}=\lim\limits_{x \to 2} \dfrac{x-2}{f(x)-f(2)} \times (x^2+2x+4)$

$\qquad\qquad\qquad=\lim\limits_{x \to 2} \dfrac{1}{\dfrac{f(x)-f(2)}{x-2}} \times (x^2+2x+4)$

$\qquad\qquad\qquad=\dfrac{12}{f'(2)}=1$

$\therefore f'(2)=12$ $\qquad$ ……ⓒ

이때, $f'(x)=(2x+1)(ax+b)+(x^2+x+1)\times a$ 이므로

ⓐ에서 $f'(1)=3(a+b)+3a=3$

$\therefore 2a+b=1$ $\qquad$ ……ⓒ

ⓒ에서 $f'(2)=5(2a+b)+7a=12$

$\therefore 17a+5b=12$ $\qquad$ ……ⓔ

ⓒ, ⓔ을 연립하여 풀면 $a=1$, $b=-1$

즉, $f'(x)=(2x+1)(x-1)+x^2+x+1=3x^2$이므로

$f'(3)=27$

04 $f(x)=(2x+1)^3(x^2+a)=(8x^3+12x^2+6x+1)(x^2+a)$

로 놓으면

$f'(x)=(24x^2+24x+6)(x^2+a)+(8x^3+12x^2+6x+1)\times 2x$

$x=-1$인 점에서의 접선의 기울기가 -16이므로

$f'(-1)=(24-24+6)(1+a)+(-8+12-6+1)\times(-2)$
$\qquad =-16$

$6+6a+2=-16$

$\therefore a=-4$

05 함수 $f(x)$가 $x=1$에서 미분가능하면 $x=1$에서 연속이므로

$1+a+3=2+b$

$\therefore a-b=-2$ ……ⓐ

$f'(x)=\begin{cases} 3x^2+2ax+3 & (x>1) \\ 4x & (x<1) \end{cases}$ 이고

함수 $f(x)$는 $x=1$에서 미분가능하므로

$2a+6=4$

$\therefore a=-1$ $\qquad$ ……ⓒ

ⓒ을 ⓐ에 대입하면

$b=1$

$\therefore ab=-1$

06 $f(x)$의 최고차항을 ax^n $(a\neq 0)$이라 하면

$\lim\limits_{x\to\infty}\dfrac{\{f(x)\}^2-f(x^2)}{x^3 f(x)}=4$에서

분모와 분자의 차수는 같고 최고차항의 계수의 비는 4이다.

즉, $2n=n+3$에서 $n=3$

또 $\dfrac{a^2-a}{a}=4$에서 $a=5$

$\therefore f(x)=5x^3+bx^2+cx+d$ (단, b, c, d는 상수)

$\therefore f'(x)=15x^2+2bx+c$

(나)에서 $\lim\limits_{x\to 0}\dfrac{f'(x)}{x}=\lim\limits_{x\to 0}\dfrac{15x^2+2bx+c}{x}=4$이고,

$x\to 0$일 때 (분모)$\to 0$이므로 (분자)$\to 0$이어야 한다.

즉, $\lim\limits_{x\to 0}(15x^2+2bx+c)=c=0$이므로

$f'(x)=15x^2+2bx$

$\therefore \lim\limits_{x\to 0}\dfrac{f'(x)}{x}=\lim\limits_{x\to 0}\dfrac{15x^2+2bx}{x}$
$\qquad = \lim\limits_{x\to 0}\dfrac{x(15x+2b)}{x}$
$\qquad = \lim\limits_{x\to 0}(15x+2b)$
$\qquad = 2b=4$

즉, $b=2$이므로 $f'(x)=15x^2+4x$

$\therefore f'(1)=15+4=19$

07 $f(x)=\begin{cases} x & (x\geq 3) \\ -x+6 & (x<3) \end{cases}$ 이므로

$f(x)g(x)=\begin{cases} x(ax^2+1) & (x\geq 3) \\ (-x+6)(ax^2+1) & (x<3) \end{cases}$

함수 $y=f(x)g(x)$가 실수 전체의 집합에서 미분가능하므로 $x=3$에서 연속이고 미분가능해야 한다.

$\lim\limits_{x\to 3+}f(x)g(x)=\lim\limits_{x\to 3-}f(x)g(x)=3(9a+1)$이고

$\{f(x)g(x)\}'=\begin{cases} 3ax^2+1 & (x>3) \\ -3ax^2+12ax-1 & (x<3) \end{cases}$에서 $\qquad$ ……㉮

함수 $y=f(x)g(x)$는 $x=3$에서 미분계수가 존재하므로

$\lim\limits_{x\to 3+}\{f(x)g(x)\}'=\lim\limits_{x\to 3-}\{f(x)g(x)\}'$

$27a+1=-27a+36a-1$

$18a=-2$ $\qquad \therefore a=-\dfrac{1}{9}$ $\qquad$ ……㉯

채점 기준	배점
㉮ $\{f(x)g(x)\}'$ 구하기	3점
㉯ 답 구하기	3점

08 다항식 x^3-2ax^2+bx-1을 $(x-1)^2$으로 나눌 때의 몫을 $Q(x)$라 하면

$x^3-2ax^2+bx-1=(x-1)^2Q(x)+2x-1$ $\qquad$ ……ⓐ

ⓐ의 양변에 $x=1$을 대입하면

$1-2a+b-1=1$ $\quad \therefore 2a-b=-1$ $\qquad$ ……ⓒ……㉮

ⓐ의 양변을 x에 대하여 미분하면

$3x^2-4ax+b=2(x-1)Q(x)+(x-1)^2Q'(x)+2$

양변에 $x=1$을 대입하면

$3-4a+b=2$ $\quad \therefore 4a-b=1$ $\qquad$ ……ⓒ……㉯

ⓒ, ⓒ을 연립하여 풀면 $a=1$, $b=3$

따라서 다항식 $3x^2-4x+3$을 $x-1$로 나눈 나머지는

$3-4+3=2$ $\qquad$ ……㉰

채점 기준	배점
㉮ $2a-b=-1$ 구하기	3점
㉯ $4a-b=1$ 구하기	3점
㉰ 답 구하기	2점

> **핵심 포인트**
>
> 다항식 $f(x)$가 $(x-a)^2$으로 나누어떨어질 때, 몫을 $Q(x)$라 하면
>
> $\qquad f(x)=(x-a)^2Q(x)$ $\qquad$ ……ⓐ
>
> ⓐ의 양변을 x에 대하여 미분하면
>
> $\qquad f'(x)=2(x-a)Q(x)+(x-a)^2Q'(x)$ $\qquad$ ……ⓒ
>
> ⓐ, ⓒ에 $x=a$를 각각 대입하면 $f(a)=0$, $f'(a)=0$

[부록 3회] 접선의 방정식

01 ④	02 ③	03 ③	04 ①	05 ②
06 ⑤	07 6	08 54		

01 $f(x)=\frac{1}{3}x^3+ax+b$로 놓으면

$f'(x)=x^2+a$

곡선 $y=f(x)$가 점 $(1, 1)$을 지나므로

$1=\frac{1}{3}+a+b$

$\therefore a+b=\frac{2}{3}$ ······㉠

또한, 점 $(1, 1)$에서의 접선의 기울기는

$f'(1)=1+a$

이므로 접선의 방정식은

$y-1=(1+a)(x-1)$

$\therefore y=(1+a)x-a$

이 직선이 점 $(-2, 7)$을 지나므로

$7=-2-3a$ $\therefore a=-3$

$a=-3$을 ㉠에 대입하면 $b=\frac{11}{3}$

$\therefore 2a+3b=-6+11=5$

02 $f(x)=x^2-3x+1$이라 하면 $f'(x)=2x-3$

점 $(2, -1)$에서의 접선의 기울기는

$f'(2)=4-3=1$

이므로 이 접선에 수직인 직선의 기울기는 -1이다.

즉, 점 $(2, -1)$을 지나고 기울기가 -1인 직선의 방정식은

$y-(-1)=-(x-2)$ $\therefore y=-x+1$

따라서 $a=-1$, $b=1$이므로

$ab=-1$

> **핵심 포인트**
>
> 곡선 $y=f(x)$ 위의 점 $(a, f(a))$에서의 법선의 방정식은
> $$y-f(a)=-\frac{1}{f'(a)}(x-a) \text{ (단, } f'(a)\neq 0)$$

03 $f(x)=x^3-x+2$라 하면

$f'(x)=3x^2-1$

접점의 좌표를 (t, t^3-t+2)라 하면 접선의 기울기가 2이므로

$f'(t)=3t^2-1=2$, $t^2=1$

$\therefore t=-1$ 또는 $t=1$

즉, 접점의 좌표는 $(-1, 2)$, $(1, 2)$이므로 접선의 방정식은

$y-2=2\{x-(-1)\}$ 또는 $y-2=2(x-1)$

$\therefore y=2x+4$ 또는 $y=2x$

두 접선 사이의 거리는 $y=2x$ 위의 점 $(0, 0)$과 직선

$2x-y+4=0$ 사이의 거리와 같으므로

$$\frac{|2\times 0-0+4|}{\sqrt{2^2+(-1)^2}}=\frac{4\sqrt{5}}{5}$$

> **핵심 포인트**
>
> 점 $P(x_1, y_1)$과 직선 $ax+by+c=0$ 사이의 거리 d는
> $$d=\frac{|ax_1+by_1+c|}{\sqrt{a^2+b^2}}$$

04 $f(x)=x^2-x$라 하면

$f'(x)=2x-1$

접점의 좌표를 (t, t^2-t)라 하면 접선의 기울기는

$f'(t)=2t-1$

이므로 접선의 방정식은

$y-(t^2-t)=(2t-1)(x-t)$

$\therefore y=(2t-1)x-t^2$

이 직선이 점 $(1, -1)$을 지나므로

$-1=2t-1-t^2$, $t^2-2t=0$

$t(t-2)=0$ $\therefore t=0$ 또는 $t=2$

따라서 구하는 접선의 방정식은 $y=-x$ 또는 $y=3x-4$이므로 두 접선의 기울기의 곱은 -3이다.

05 $y=x^2+1$에서 $y'=2x$이므로 점 $(-2, 5)$에서의 접선의 방정식은

$y-5=-4(x+2)$

$\therefore y=-4x-3$ ······㉠

또 $y=x^3+ax-1$에서 $y'=3x^2+a$이므로 접점의 좌표를 (t, t^3+at-1)이라 하면 접선의 방정식은

$y-(t^3+at-1)=(3t^2+a)(x-t)$

$\therefore y=(3t^2+a)x-2t^3-1$ ······㉡

두 접선 ㉠, ㉡이 일치해야 하므로

$-2t^3-1=-3$에서 $-2t^3=-2$ $\therefore t=1$

$3t^2+a=-4$에서 $3+a=-4$ $\therefore a=-7$

06 $f(x)=-x^3+4$, $g(x)=x^2+ax+b$라 하면

$f'(x)=-3x^2$, $g'(x)=2x+a$

두 곡선이 점 $(1, 3)$에서 공통접선을 가지므로

$f(1)=g(1)$에서 $3=1+a+b$ ······㉠

$f'(1)=g'(1)$에서 $-3=2+a$ $\therefore a=-5$

$a=-5$를 ㉠에 대입하면 $b=7$

$\therefore ab=-35$

07 $f(x)=3x^3+ax$, $g(x)=bx^2-a$에서

$f'(x)=9x^2+a$, $g'(x)=2bx$

두 곡선이 $x=1$인 점에서 접하므로

$f(1)=g(1)$에서 $3+a=b-a$

$\therefore 2a-b=-3$ ······㉠ ······㉮

$f'(1)=g'(1)$에서 $9+a=2b$

$\therefore a-2b=-9$ ······㉡ ······㉯

㉠, ㉡을 연립하여 풀면 $a=1$, $b=5$

$\therefore a+b=6$ ······㉰

채점 기준	배점
㉮ $2a-b=-3$ 구하기	2점
㉯ $a-2b=-9$ 구하기	2점
㉰ 답 구하기	2점

08 $f(x)=x^2+3$이라 하면

$f'(x)=2x$

접점의 좌표를 (t, t^2+3)이라 하면 이 점에서의 접선의 기울기는

$f'(t)=2t$이므로 접선의 방정식은

$y-(t^2+3)=2t(x-t)$

$\therefore y=2tx-t^2+3$ ······ ㉮

이 직선이 점 $A(2, -2)$를 지나므로

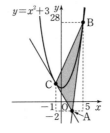

$-2=4t-t^2+3$

$t^2-4t-5=0$

$(t+1)(t-5)=0$

$\therefore t=-1$ 또는 $t=5$

따라서 두 접점 B, C의 좌표는 각각

$(5, 28)$, $(-1, 4)$이므로 삼각형 ABC의 넓이는 ······ ㉯

$6\times30-\left(\dfrac{1}{2}\times3\times6+\dfrac{1}{2}\times3\times30+\dfrac{1}{2}\times6\times24\right)=54$

······ ㉰

채점 기준	배점
㉮ 접선의 방정식 구하기	3점
㉯ 두 점 B, C 구하기	3점
㉰ 답 구하기	2점

[부록 4회] 접선의 방정식				
01 ②	02 ⑤	03 ①	04 ②	05 ⑤
06 ③	07 $y=-4x+9$		08 2	

01 $f(x)=2x^2+ax+b$라 하면 곡선 $y=f(x)$가 점 $(1, 2)$를 지나므로

$f(1)=2+a+b=2$

$\therefore a+b=0$ ······ ㉠

또 $f'(x)=4x+a$이고, 점 $(1, 2)$에서의 접선의 기울기가 3이므로

$f'(1)=4+a=3$

$\therefore a=-1$

$a=-1$을 ㉠에 대입하면 $b=1$

$\therefore a-b=-2$

02 $f(x)=x^3-3x^2+2$로 놓으면

$f'(x)=3x^2-6x$

접점의 좌표를 (t, t^3-3t^2+2)라 하면 이 점에서의 접선의 기울기는 $f'(t)=3t^2-6t$이므로 접선의 방정식은

$y-(t^3-3t^2+2)=(3t^2-6t)(x-t)$

$\therefore y=(3t^2-6t)x-2t^3+3t^2+2$

이 직선이 점 $A(0, 3)$을 지나므로

$3=-2t^3+3t^2+2$, $2t^3-3t^2+1=0$

$(2t+1)(t-1)^2=0$

$\therefore t=-\dfrac{1}{2}$ 또는 $t=1$

따라서 두 접점의 좌표는 $\left(-\dfrac{1}{2}, \dfrac{9}{8}\right)$, $(1, 0)$이므로 두 접점 사이의 거리는

$\sqrt{\left\{1-\left(-\dfrac{1}{2}\right)\right\}^2+\left(0-\dfrac{9}{8}\right)^2}=\dfrac{15}{8}$

03 $f(x)=x^2-2$, $g(x)=x^3-ax-1$이라 하면

$f'(x)=2x$, $g'(x)=3x^2-a$

접점의 x좌표를 t라 하면 $f(t)=g(t)$에서

$t^2-2=t^3-at-1$

$t^3-t^2-at+1=0$ ······ ㉠

$f'(t)=g'(t)$에서 $2t=3t^2-a$

$a=3t^2-2t$ ······ ㉡

㉡을 ㉠에 대입하면

$2t^3-t^2-1=0$

$(t-1)(2t^2+t+1)=0$

$\therefore t=1$

$t=1$을 ㉡에 대입하면

$a=1$

04 $f(x)=2x^3-1$, $g(x)=3x^2-2$로 놓으면

$f'(x)=6x^2$, $g'(x)=6x$

두 곡선이 $x=a$인 점에서 접하므로

$f(a)=g(a)$에서 $2a^3-1=3a^2-2$

$2a^3-3a^2+1=0$, $(a-1)^2(2a+1)=0$

$\therefore a=-\dfrac{1}{2}$ 또는 $a=1$ ······㉠

$f'(a)=g'(a)$에서 $6a^2=6a$

$a(a-1)=0$

$\therefore a=0$ 또는 $a=1$ ······㉡

㉠, ㉡에서 공통인 값은 $a=1$이므로 두 곡선의 접점의 좌표는 $(1, 1)$이고, 접선의 기울기는 6이다.

따라서 접선의 방정식은

$y-1=6(x-1)$ $\therefore y=6x-5$

$\therefore m+n=6+(-5)=1$

05 $f(x)=x^3+ax^2+bx$, $g(x)=x^2+cx$에서

$f'(x)=3x^2+2ax+b$, $g'(x)=2x+c$

두 곡선 $y=f(x)$, $y=g(x)$가 점 $(1, 0)$에서 접하므로

$f(1)=0$에서 $1+a+b=0$

$\therefore a+b=-1$ ······㉠

$g(1)=0$에서 $1+c=0$

$\therefore c=-1$ ······㉡

$f'(1)=g'(1)$에서

$3+2a+b=2+c$

이 식에 ㉡을 대입하여 정리하면

$2a+b=-2$ ······㉢

㉠, ㉢을 연립하여 풀면

$a=-1$, $b=0$

따라서 $f(x)=x^3-x^2$, $g(x)=x^2-x$이므로

$f(-1)+g(3)=(-2)+6=4$

> **핵심 포인트**
>
> **두 곡선의 공통접선**
>
> 두 곡선 $y=f(x)$, $y=g(x)$가 점 (a, b)에서 공통접선을 가지면
>
> (ⅰ) $x=a$인 점에서 두 곡선이 만난다.
>
> $\iff f(a)=g(a)=b$
>
> (ⅱ) $x=a$인 점에서의 두 곡선의 접선의 기울기가 같다.
>
> $\iff f'(a)=g'(a)$

06 $f(x)=x^3-2x+1$이라 하면

$f'(x)=3x^2-2$

점 $(1, 0)$에서의 접선의 기울기는

$f'(1)=3-2=1$

즉, 점 $P(1, 0)$에서의 접선의 방정식은

$y-0=1\times(x-1)$

$\therefore y=x-1$

직선 $y=x-1$이 곡선 $y=f(x)$와 다시 만나는 점의 x좌표는

$x^3-2x+1=x-1$에서 $x^3-3x+2=0$

$(x+2)(x-1)^2=0$

$\therefore x=-2$ 또는 $x=1$

따라서 점 Q의 좌표는 $(-2, -3)$이므로

삼각형 OPQ의 넓이는

$\dfrac{1}{2}\times1\times3=\dfrac{3}{2}$

07 조건 (나)에서 $x\to2$일 때, (분모)$\to0$이므로 (분자)$\to0$이어야 한다.

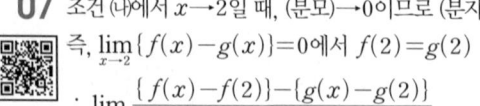

즉, $\displaystyle\lim_{x\to2}\{f(x)-g(x)\}=0$에서 $f(2)=g(2)$

$\therefore \displaystyle\lim_{x\to2}\dfrac{\{f(x)-f(2)\}-\{g(x)-g(2)\}}{x-2}$

$=f'(2)-g'(2)=2$ ······㉮

조건 (가)에서 $x=2$를 대입하면

$g(2)=8f(2)-7$이므로

$g(2)=8g(2)-7$

$\therefore g(2)=1$

조건 (가)의 양변을 x에 대하여 미분하면

$g'(x)=3x^2f(x)+x^3f'(x)$

양변에 $x=2$를 대입하면

$g'(2)=12f(2)+8f'(2)$

$=12\times1+8\{g'(2)+2\}$ ($\because f(2)=g(2)=1$)

$=8g'(2)+28$

$\therefore g'(2)=-4$ ······㉯

따라서 점 $(2, g(2))$, 즉 점 $(2, 1)$에서의 접선의 방정식은

$y-1=-4(x-2)$

$\therefore y=-4x+9$ ······㉰

채점 기준	배점
㉮ $f(2)=g(2)$, $f'(2)-g'(2)=2$ 구하기	2점
㉯ $g(2)=1$, $g'(2)=-4$ 구하기	2점
㉰ 답 구하기	2점

08 $f(0)=k^2-1$, $f(2k)=4k^2-4k^2+k^2-1=k^2-1$이므로

$P(0, k^2-1)$, $Q(2k, k^2-1)$

$f(x)=x^2-2kx+k^2-1$에서

$f'(x)=2x-2k$

$f'(0)=-2k$이므로 점 $P(0, k^2-1)$에서의 접선의 방정식은

$y-(k^2-1)=-2k(x-0)$

$\therefore y=-2kx+k^2-1$

이 직선이 x축과 만나는 점은

$A\left(\dfrac{k^2-1}{2k}, 0\right)$ ······㉮

$f'(2k)=2k$이므로 점 $Q(2k, k^2-1)$에서의 접선의 방정식은

$y-(k^2-1)=2k(x-2k)$

$\therefore y=2kx-3k^2-1$

이 직선이 x축과 만나는 점은

$B\left(\dfrac{3k^2+1}{2k}, 0\right)$ ······㉯

$\therefore \overline{AB}=\dfrac{3k^2+1}{2k}-\dfrac{k^2-1}{2k}$

$=\dfrac{2k^2+2}{2k}$

$=k+\dfrac{1}{k}$

이때, $k>0$이므로 산술평균과 기하평균의 관계에 의하여

$$\overline{AB} = k + \frac{1}{k} \geq 2\sqrt{k \times \frac{1}{k}} = 2$$

$$\left(\text{단, 등호는 } k = \frac{1}{k}, \text{ 즉 } k = 1 \text{일 때 성립한다.}\right)$$

따라서 선분 AB의 길이의 최솟값은 2이다. ……🔹

채점 기준	배점
🔹 점 A 구하기	3점
🔹 점 B 구하기	3점
🔹 답 구하기	2점

핵심 포인트

산술평균과 기하평균의 관계

$a > 0,\ b > 0$일 때,

$\dfrac{a+b}{2} \geq \sqrt{ab}$ (단, 등호는 $a = b$일 때 성립한다.)

memo

memo

memo

■ 2학년 기말고사

01회

01 ③ 02 ④ 03 ② 04 ② 05 ③ 06 ⑤ 07 ④ 08 ⑤ 09 ④ 10 ③ 11 ④ 12 ① 13 ① 14 ④
15 ② 16 ⑤ 17 ③ 18 ① 19 28 20 25 21 6 22 5 23 -4

02회

01 ④ 02 ④ 03 ② 04 ① 05 ② 06 ③ 07 ⑤ 08 ④ 09 ① 10 ③ 11 ③ 12 ② 13 ⑤ 14 ①
15 ④ 16 ② 17 ⑤ 18 ② 19 13 20 -6 21 풀이 참조 22 $a \leq 2$ 23 4

03회

01 ④ 02 ⑤ 03 ② 04 ① 05 ④ 06 ① 07 ② 08 ③ 09 ② 10 ⑤ 11 ③ 12 ① 13 ⑤ 14 ③
15 ③ 16 ⑤ 17 ④ 18 ③ 19 44 20 $k \geq 1$ 21 $\frac{23}{2}$ 22 $\frac{32}{3}$ 23 -2

04회

01 ③ 02 ② 03 ④ 04 ⑤ 05 ① 06 ① 07 ④ 08 ④ 09 ② 10 ③ 11 ① 12 ② 13 ⑤ 14 ⑤
15 ② 16 ③ 17 ③ 18 ④ 19 $2\sqrt{5}$ 20 풀이 참조 21 6 22 3 23 $\frac{1}{48}$

05회

01 ⑤ 02 ① 03 ④ 04 ⑤ 05 ③ 06 ⑤ 07 ⑤ 08 ① 09 ② 10 ③ 11 ④ 12 ② 13 ④ 14 ③
15 ② 16 ① 17 ④ 18 ① 19 4 20 7 21 40 22 10 23 -4

06회

01 ④ 02 ⑤ 03 ① 04 ① 05 ② 06 ④ 07 ① 08 ② 09 ③ 10 ③ 11 ④ 12 ⑤ 13 ④ 14 ①
15 ② 16 ⑤ 17 ⑤ 18 ③ 19 2 20 $-\frac{93}{2}$ 21 6 22 $\frac{118}{3}$ 23 4

07회

01 ① 02 ② 03 ④ 04 ③ 05 ④ 06 ② 07 ① 08 ⑤ 09 ④ 10 ⑤ 11 ② 12 ③ 13 ④ 14 ①
15 ④ 16 ⑤ 17 ④ 18 ⑤ 19 (1) $\frac{3}{2}$ (2) 3 20 506 21 28π 22 -1 23 $-\frac{1}{5} < k < 0$

08회

01 ② 02 ③ 03 ④ 04 ④ 05 ① 06 ② 07 ① 08 ⑤ 09 ② 10 ③ 11 ② 12 ④ 13 ⑤ 14 ①

15 ④ 16 ⑤ 17 ③ 18 ⑤ 19 $\dfrac{33}{2}$ 20 16 21 2 22 2 23 $\dfrac{3200}{27}$

09회

01 ② 02 ① 03 ⑤ 04 ③ 05 ③ 06 ② 07 ④ 08 ④ 09 ① 10 ⑤ 11 ④ 12 ② 13 ③ 14 ①

15 ⑤ 16 ③ 17 ⑤ 18 ④ 19 -12 20 58 21 3 22 $\dfrac{287}{15}$ 23 480

10회

01 ③ 02 ③ 03 ① 04 ⑤ 05 ③ 06 ③ 07 ② 08 ⑤ 09 ① 10 ② 11 ② 12 ④ 13 ① 14 ④

15 ② 16 ⑤ 17 ⑤ 18 ④ 19 7 20 -2 21 10 22 35 23 15

■ 부록

[1회] 미분계수와 도함수

01 ② 02 ② 03 ④ 04 ⑤ 05 ③ 06 ① 07 -1 08 -15

[2회] 여러 가지 미분법

01 ③ 02 ② 03 ⑤ 04 ④ 05 ① 06 ⑤ 07 $-\dfrac{1}{9}$ 08 2

[3회] 접선의 방정식

01 ④ 02 ③ 03 ③ 04 ① 05 ② 06 ⑤ 07 6 08 54

[4회] 접선의 방정식

01 ② 02 ⑤ 03 ① 04 ② 05 ⑤ 06 ③ 07 $y=-4x+9$ 08 2